虹の音色が聞こえたら

関口　尚

集英社文庫

目次

本書は、「青春と読書」二〇二一年六月号〜二〇二二年五月号に連載されたものを加筆・修正したオリジナル文庫です。

虹の音色が聞こえたら

第一章

　ひなたで温められた風だ。

　半袖シャツから伸びるほっそりとした腕の産毛がそよいでいる。

　わけもなく気が遠くなり、目をつぶった。

　蟬（せみ）が喚（わめ）くように鳴いている。絶叫しているやつもいる。

　つつっと汗がこめかみを流れた。

「あの子、また来てるわよ」

　後ろから聞こえてどきりとした。ぼくのことだ。眠人（みんと）は体をぎゅっと縮こめた。

　誰から発せられた言葉か知りたくなくて、声の方向を見ないようにして東屋（あずまや）へ移動した。広い都立公園の真ん中にあるテーブル付きの東屋だ。備えつけの木製ベンチにランドセルを投げ出し、腰を下ろす。体育座りをして膝を抱えたら蚊が飛んできた。膝に止まったのでばちんと叩（たた）く。

　蚊って二酸化炭素で寄ってくるんだっけ。呼吸を止めたら蚊もやってこなくなるのかな。

　息止めチャレンジをしてみようかな。なんて迷っていたら制服姿の女子高生が東屋に入ってきた。白いシャツに灰色のチェックのスカート。黒いスポーツタイプのリュックを下ろし、ギターケースをテーブルに横たえた。

いや、ギターケースじゃない。ギターにしては小さい。眠人が横目で窺っていると、女子高生と目が合った。真っ黒で長い髪だ。運動部だろうか、よく日焼けをしている。肌の色が濃い分、白目が印象的で視線に圧迫感があった。

女子高生が立ち上がった。眠人にまっすぐ近づいてくる。邪魔だからどっか行け。なんて追い払われると思ったら、手にしていた小さなスプレーを噴射された。半袖半ズボン姿である眠人のむき出しになった両手両足に、ぷしゅうと。女子高生は背を向けるとベンチに戻り、自分の手足や首にもスプレーをかけた。蚊よけのスプレーのようだった。

「ありがとうございます」

きちんと声にして言ったつもりだ。けれど緊張して空気のもれるような音しか出なかった。年上の人は苦手。自分の十歳という年齢を超えるすべての人類が苦手だ。父も、学校の先生も、近所のおばちゃんたちも。たったひとつ年齢が上でも駄目。六年生とは会話どころか目も合わせられない。

狭い東屋でふたりきり。帰るべきなんだろうな、と思うのだけれど家に帰りたくない。帰ったって自分の居場所なんてありゃしない。

五時半を告げる『夕焼け小焼け』のメロディーがスピーカーから流れた。公園中に響き渡り、子供たちに帰るようにうながす。でもやっぱり帰りたくない。今日は家に父の直彦がいる。

　メロディーが鳴り止んだタイミングで、女子高生がギターケースらしきものを開けた。中から取り出したのは三味線だった。祖母の曜子が弾いていたから知っている。こんなところで三味線を弾くつもりだろうか。不思議に思っていると、女子高生は三味線を構えた。

　ふと気づく。構えた楽器は三味線よりひと回り小さい。胴に張られている皮は白ではなくて蛇の模様だ。バチも三味線のものと違う。黒い角みたいなものを指にはめて弾こうとしていた。

　これは三味線じゃないかも。疑っているうちに女子高生は調絃を済ませ、ひとつ大きく息を吸ってから弾き始めた。

　ゆるやかなメロディーだった。でもどこか遠くへ連れ去っていこうとするような、胸騒ぎを覚える音色をしていた。

　なぜか海の波音が聞こえた気がした。カモメの声も聞こえる。風に揺れる大振りな赤い花が見える。晴れ渡る青い空も見える。奏でられた深くてやさしい音のひと粒ひと粒が、東京の隅っこにあるひとけのないこの公園を、まったく別の空間へと変化させていく。独特の雰囲気を醸し出すその音階で、眠人も察しがついた。あの楽器はやっぱり三味線じゃない。沖縄の三線（さんしん）ってやつだ。

女子高生が小さく息を吸って歌い出す。まるで語りかけるような歌い方。歌声はのびやかな高音へと移っていき、眠人の胸に甘い切なさを残していく。

なんだ、これ。

生まれて初めて音楽に魂を撫（な）でられた。心が震えるってこういうことか。気づいたら立ち上がっていた。

沖縄の言葉で歌っているらしく歌詞はさっぱりわからない。でもなにかが伝わってくる。英語の歌といっしょだ。なにを言っているかわからないけれど、歌として訴えてくるものがある。

歌は短くて三分ちょっとだった。眠人は女子高生が歌い終えるのと同時に駆け寄っていた。

「それって沖縄の三線ですよね」

突然話しかけたのに、女子高生は驚く様子もなく淡々と答えた。

「そうだけど」

年上の人は苦手だ。目の前に立っただけで手足が震えてしまう。女子高生の視線を受け止めきれず、逃げ出してしまいそうになる。けれど三線の音を聞いて覚えた興奮が、眠人の背中を押していた。生まれて初めての心の高鳴りを信じたかった。

「ぼ、ぼ、ぼくに三線を教えてくれませんか」

「やだよ」

即答だった。心臓をぎゅっと鷲掴(わしづか)みにされたみたいなショックを受ける。しかし深く頭を下げて頼みこんだ。

「お願いします、師匠。ぼくも三線を弾けるようになりたいんです」

「師匠ってわたしのこと？」

顔を上げると女子高生が迷惑そうに見下ろしてきた。

「弟子にしてほしいから師匠って呼ばせてもらおうかなって」

「やめてよ。君を弟子にするつもりなんてないし、わたしにはちゃんとオオシロハルホっていう名前があるんだから」

「じゃあ、オオシロさん、三線を教えてください。ぼくは浅倉(あさくら)眠人って言います」

「あ、オオシロさんもやめてほしいかな。沖縄って狭いのに同じ名字が多いから下の名前で呼ぶんだよ。わたしはハルホ」

女子高生は三線の入っていたケースに手を伸ばし、つけられていたキーホルダーを指で弾(はじ)いた。ピンク色のハート形のキーホルダーがくるくると回り、回転がゆるやかになったところで「春帆」と書かれているのが読めた。

「春帆さんは沖縄の人なんですね」

「まあ、そうだけど」

「沖縄の人ってみんな三線を弾けるんですか」

「そんなことないよ。東京に比べたらたくさんいるけど」

「どのくらい練習したら春帆さんくらいのレベルになれるんですか」

眠人はにじり寄った。

「ちょっと待って」

春帆が手のひらを向けて制してくる。

「わたしは君に教えるつもりはないし、関わる気もないから。三線を習いたいならお隣の所沢(ところざわ)にだって教室があるし、新宿とか吉祥寺(きちじょうじ)ならたくさんあるよ。そうだ、インターネットで調べてみなよ。教室の情報が載ってるし、動画で弾き方を紹介してる人もいるよ。そういうの参考にしなよ」

それでは駄目なのだ。眠人は肩を落とした。

「そういうわけだから。じゃあね」

春帆はケースに三線を収め、東屋を出ていった。公園の正門から駅の方向へと折れる。近所に住んでいるのか、たまたま遠くからやってきたのか。彼女の背中が見えなくなったところで眠人はベンチに腰を下ろした。

蟬が喚くようにして鳴いていた。日が沈むまでもうひと騒ぎしてやろうっていう鳴き方だ。大きくため息をつく。三線の音色のおかげで、さきほどまでここは南国沖縄のように感じていたのに、人影まばらなだだっ広いいつもの都立公園に戻ってしまっていた。

あの子また来てるわよ。今日はその声の主と目が合ってしまった。同じ小学校に通う誰かのお母さんだろう。似たり寄ったりのお母さんがあとふたりいる。わざわざ公園へ来ているということは、低学年の生徒のつき添いかもしれない。

親同士の会話ってなにを話されているかわからなくてこわい。以前、携帯電話のカメラのシャッター音が聞こえ、振り向いたら眠人を写していた。親同士のネットワークでおかしな噂を流されている可能性もある。いやだ、いやだ。足早に遠ざかる。

学校の先生たちは家にこもっていないで外へ出て遊べと言う。だけども公園に行けばひそひそと噂話をするいやな大人たちがいる。日が沈んでも公園に残り、なかなか家に帰らないというそれだけで。

外へ出ろ。いつまでも外にいるな。大人は言っていることがばらばらで、そのくせ自分の発言は正しいと信じている。子供からしてみれば勝手でしかない。

東屋へ行き、図書室で借りた本を開いた。図書室って素晴らしい。本をただで貸してくれる。お金をかけないで楽しめる。なのにクラスメイトはその素晴らしさをまったく理解してくれない。本を借りただけで、いい子ちゃんぶっているとからかってくる。今日だって「意識高いですね」なんて笑われた。

　からかわれたくないから図書室には昼休みに人目を盗んでいく。クラスの男子がドッジボールで出払っているあいだにそっと行くのだ。それでも密告する女子がいて、結局は男子にいじられる。

　みんなどうしてほっといてくれないのだろう。世の中、他人の行動に口を出したい人でいっぱいだ。別にいいじゃないか、図書室で本を借りたって。夜の八時になっても公園にいたって。

　七月のいまは七時くらいで日が沈む。日が傾いて暗くなる前に、借りてきた本を読み進める。家では読めないので外で読むのが一番だ。

　夢中になって読み進めていたら、東屋に人が入ってきた。視界の端っこを灰色のチェックのスカートが横切っていく。はっと顔を上げると春帆だった。三線を教えてくれと頼みこんだせいで、二度と来ないかもと心配していたのだ。春帆は今日も三線ケースを手にしていた。

　会えたうれしさと、三線を聞ける喜びで、再び「師匠」なんて口走って駆け寄りそうになる。しかしぐっとこらえて本に視線を落とした。

　しつこく頼めばいやがられる。遠慮がちに頼む作戦に切り替えよう。春帆もここへ練習しに来ているのだろうから邪魔はよくない。練習をじゅうぶんにして満足そうに見えたところで頼みこむのだ。

　大人の顔色を窺うのは得意なほうだと思う。それに様子を窺っているあいだ三線を聞けるのだから一石二鳥だ。自分って天才。心の中でガッツポーズを作る。

　春帆は調絃を終え、昨日と同じ曲を弾き始めた。歌詞はやっぱりちんぷんかんぷんだった。でも心にぐっと訴えてくるものがある。そして気づいた。感動してしまうのは春帆の歌と三線が上手だからだ。歌の調子がはずれることはないし、三線を弾く指がミスタッチすることもない。もしかしてだけど春帆は相当うまい人なのでは。

　しみじみとした曲の次にテンポの速い陽気な曲が披露された。三線ってこんな楽しげな曲も弾けるのか。軽快なリズムにそそのかされ、体を揺らして踊りたくなってくる。急に踊り出したら変なやつと認定されそうだからしないけれど。本を読んでいるふりをしつつ、踊り出しそうになるのを必死にこらえた。しかしその明るい曲が終わったとき、ついつい本を脇に置いて拍手をしてしまった。

　やばい。春帆と目が合う。きつい言葉が口から出てくるかと思ったけれど、彼女は小さく会釈をした。拍手はいやじゃないらしい。完全に無視しようってわけでもないようだ。

　きっといまがチャンス。弟子にしてもらうチャンス。

　けれど眠人が「三線を教えてください」の最初の「さ」も言い切らないうちに、春帆に釘（くぎ）を刺された。

「三線は教えないよ」

お見通しのようだった。

それから毎日、春帆は東屋へやってきた。どんなに遅くなってもやってきて、一時間ほど弾いて帰っていく。夜の八時過ぎにやってきて、東屋にいる眠人を見てぎょっとしたこともあった。でも眠人に家へ帰れとは叱らないし、夜にふらついていることを心配する様子もない。関わるつもりがないからだろう。それはそれで残念だけれど、事情もわからないのにお説教を垂れる人や、ひそひそと陰口を叩く人よりかは、何倍もましだった。

顔を合わせたら必ず三線を教えてほしいと頼みこんだ。春帆は「やだよ」しか言わない。まだなにも言っていないのに、眠人の顔を見るなり「やだよ」と瞬殺される日もあった。さすがに心が折れそうになった。

でもあきらめたくなかった。三線は三本の絃しかないのに、この広くて寂しい公園を南国に変える魔法の楽器だ。演奏を聞くだけでも違う世界へ連れていってくれるのだから、自分で演奏したらどんな世界が見えるのだろう。ぜひぜひ教えてもらいたい。それに師匠になってもらうなら絶対に春帆がいい。三線を弾いて歌うその姿がかっこいいからだ。隣でいっしょになって演奏する自分を思い描いたら、わくわくが止まらなくなった。

「やだったら、やだってば」

ついに一週間連続で断られた。さすがに七日目にはちょっと怒っていた。断られたあとは東屋の隅っこで小さくなり、春帆の演奏に耳を傾ける。

しみじみとした曲が歌われれば胸をしめつけられ、陽気な曲が歌われれば踊り出しそうになる。まるで春帆の三線と歌に操（あやつ）られているかのようだ。しかしながら春帆本人はこちらをなんとも思っていないようで、視線が眠人で止まることはない。どうでもいい存在であることを伝えるため、あえてそうしているようにさえ見えた。

でもどうでもいい存在であることには慣れっこだ。家でも同じ。公園から帰るのはいつも八時を過ぎてから。今日も春帆が練習を終えて帰るのを見届けてから、東屋をあとにした。

公園の正門を出て、ゆるやかな坂道を五百メートルほどのぼっていくと、左手に二階建てのおんぼろアパートが見えてくる。二階の六号室が眠人の家だ。

ドアを開けても「ただいま」は言わない。以前は言っていたけれど、父の直彦がなにも返さないので言わなくなった。玄関からさきは暗い。直彦は日が暮れても部屋の電気を点（つ）けない。そのほうが落ち着くという。

部屋は六畳ひと間と狭くて、真ん中にテーブルがある。ぼろぼろの座椅子がひとつあり、直彦がそっくり返っている。一応、エアコンが設置されているけれど、電気代をケチって使わない。家電量販店で買ってきた千九百八十円の扇風機が、ぶんぶんと唸（うな）り声（ごえ）

を上げている。

家にいるときの直彦はいつもお酒を飲んでいて、手から携帯電話を放さない。インターネットでつながっている相手と麻雀(マージャン)ゲームをやっている。ゲームをやっていないときはたいていテレビに向かって文句を垂れている。酔っているせいもあって、耳を塞ぎたくなるような汚い言葉を吐く。一本の番組を丸々見ることはなくて、ちょっと見ては文句を垂れ、チャンネルを変えてはまた文句を垂れる。

お酒は強くない。缶ビール一本とか缶チューハイ一本とかでへろへろになっている。そして少しでも酔いが醒(さ)めるとまたちびちびと飲んだ。酔っているときの直彦とは会話をしないほうがいい。話がおかしな方向に捻(ね)じ曲がっていってしまうからだ。これはふたり暮らしの経験から学んだこと。

「いい人なんだけれどねえ」

祖母の曜子は直彦について話すとき、いつもそうつぶやいた。母の夢香(ゆめか)は眠人が物心つく前に天国へ行ってしまった。交通事故だったそうだ。曜子は夢香の代わりとばかりに、眠人をたっぷりとかわいがってくれた。大切にされているといった実感を、誰よりも与えてくれたのが曜子だった。

「直彦さんはふわふわしてるところがあって、夢香はそこに惹(ひ)かれたのかもしれないけど、メルヘンなふたりがいっしょになるのは、わたしはやっぱり心配だったわよ」

夢香は絵本作家になるのが夢だったらしく、結婚してからもイラストの教室に通ったり、お話をいくつも創作したりしていたそうだ。洋服を作るのも好きで、眠人が赤ん坊だったころの服はみんな夢香が作っていたらしい。

その夢香が亡くなってから、直彦はおかしくなったという。仕事は長続きしない。時間の許す限りパチンコへ行く。玉がよく出ると言われる日は仕事をサボり、ここぞと足を運ぶ。働き先の工場には、眠人が体調を崩したと嘘の休みの理由を告げる。だから直彦がサボってパチンコへ行く日は、眠人は家にいなくてはならない。誰もいない家で一日中じっとしている。窓際にいる姿を見られるのもまずいので、カーテンは閉めきりだ。

仕事をサボって出勤日数は少ないし、パチンコだって勝ってばかりではない。つまり給料は少ないし、負けて大損することもある。そのせいで浅倉家にはお金がない。借金だってある。

直彦はお金のやりくりが苦しくなってくると、電気料金や水道料金の督促の封筒に、殴り書きでお金の計算をする。何度計算したって同じだと思うけれど、封筒が真っ黒になるまでやり続ける。「くそ」とか「やべえ」と言いながら。そういうときの直彦の目は血走っている。眠人は必死に見ないふりをする。

お金がまったくない日はパチンコに行けないので、仕事から帰ってくるとすぐお酒を飲み始める。今日はそんな日だ。

パチンコができず、酔っている日の直彦は虫の居所が悪い。眠人としては視線が合わないようにうつむき、身動きしないに限る。空気になりたい。なれるなら透明人間になりたい。そうした想像はいままで何百回としてきた。

直彦は真面目に働かないくせに不思議と評判は悪くない。だから誰も眠人の気持ちをわかってくれない。直彦の評判がいい理由はいくつかある。まず夢香の月命日には必ず墓参りへ行く。お金をケチり、スーパーマーケットの花コーナーの見切り品となった花束を買っていく。夢香が死んだのは八年前のこと。それから毎月欠かさず墓参りに行っているそうだ。

「偉いね」

「愛していたんだね」

「夢香さんも幸せだったね」

人から褒められるたびに直彦は照れ笑いする。でも見切り品で二百円となった花束を買うのはいつも眠人の役目だ。しなびた花を買う恥ずかしさに耐える自分のほうが、よっぽど偉いと思うのだけれど。

パチンコ仲間からは、玉の出る台の情報を教えたり、台を換わってやったりするために、いい人と認定されている。家の外で会う人には誰に対しても腰が低いので、人当たりがいいと思われている。家では真逆のことを言っていて、みんな騙(だま)されていることを知らない。

ついでに言えば、直彦は女の人からも好かれている。女の人が接客してくれるキャバクラというお店に通っていて、眠人もお店の女の人と昼ごはんをいっしょに食べたことがある。女の人は子供がいるらしく、荷台に大きなチャイルドシートを設置したママチャリでやってきた。どことなくだらしない人で、焼肉のランチを食べたら風のように去っていった。眠人でもめったに食べることのできない焼肉を、なぜ直彦はあんな見知らぬ女の人に奢(おご)るのだろう。理解できない。

直彦とのふたり暮らしを続けてきて思うことがある。父はでこぼこな人だ。いい人か悪い人かでは判断できないし、尊敬できる人か軽蔑したい人かでも分けられない。だからでこぼこな人。もしひとつつけ加えるならこうだ。弱い人。

「なあ、眠人」

話しかけられて、びくっとする。直彦がテレビから眠人に視線を移した。今日も酔っていて、目がどんよりと濁っている。

「めし、あっちにあるから」

玄関から居間までは短い廊下になっていて、それに沿ってささやかな流しがある。そこに置かれていたカップ麺とコンビニのおにぎりが、今日の晩ごはんであることはわかっていた。いつものことだから。

薬缶（やかん）に水を入れ、火にかけた。カップ麺作りは保育園のころからやっていてお手のものだ。三分待ってカップ麺をすする。酔っている直彦と関わりたくないので、部屋の隅に腰を下ろして食べる。

目に入る部屋の中のなにもかもがいやだ。脱いでそのままになっている洗濯物の山も、干されたことのないぺらぺらの布団も、異臭が漂っても捨てられないゴミ袋たちも、散らばっている携帯電話料金や税金の請求のハガキたちも。

この部屋にあるすべてのものがくすんで見える。水彩絵の具がパレットの上で間違って混ざってしまったかのような汚れた色で染め上げられている。その汚らしい色が眠人の内側に染みこんでくるかのように思えて、金切り声を上げて走り出したくなるときがある。高いところから飛び降りて全身を打ちつけたい衝動にも襲われる。自分に価値があるように思えず、全部捨てたくなってしまうのだ。

祖母の曜子が生きていたころはこんなことはなかった。眠人を大切だよ、大好きだよ、と言ってくれていたからかもしれない。

「逃げてもいいいんだよ」

ふとテレビからそんな声が聞こえてきた。コメンテーターのおじさんやタレントの女の人が、いじめや自殺について討論していた。

「ばか言ってんなよ」

直彦がろれつの回っていない口で言い、チャンネルを変えた。いつもは心の中で直彦の意見に反発する。けれど今日ばかりは賛成だ。

逃げてもいいと言われても、いったいどこへ逃げればいいというのか。

逃げたあとどうやって生きていけばいいというのか。

適当なことを言わないでほしい。

晩ごはんを食べたら急に眠くなってきた。空になったカップ麺を床に放置して横になる。

もう一度おばあちゃんに会いたいな。

母の記憶がないせいか、会いたい人は誰かと尋ねられたら曜子が思い浮かぶ。曜子に三味線をねだっておけばよかった。三線の代わりに弾けたかもしれない。あの三味線は形見として誰かがもらっていったのか、処分されてしまったのか、もう覚えていない。

やだよ、といつも通り素っ気なく春帆に断られた。東屋の隅っこで膝を抱えると、

「ねえねえ、お姉さん。それはないんじゃないかな」と同級生の竜征(りゅうせい)の声がした。

「眠人に三線を教えてやってもいいじゃん。減るもんでもないんだからさ」

竜征は頬を膨らませ、ランドセルをベンチに放り出した。竜征は学校で唯一の友達だ。

今日の昼休み、三線を習いたくて春帆に頼みこんでいることを話した。あいつのことだから加勢に来てくれたのだろう。

「誰よ、君」

　春帆が面倒くさそうに尋ねる。

「おれは星野竜征。ＯＺＣの会長の眠人が困ってるっていうから助けに来たんだ」

「ＯＺＣ？　なによ、それ」

　興味というより、ばかにしたような口調だ。

「お姉さんって大人？　子供？」

「大人じゃないけど君たち小学生に比べたら大人でしょ」

「よくわかんない答えだな。そんなんじゃＯＺＣについては教えられないな」

「ああ、そう。別に知りたいわけじゃないからいいけど。ていうかさ、三線を習いたい側の君たちがそんなふうに態度が大きいのってどうなの。失礼じゃない？」

「失礼なのはお姉さんのほうじゃん。うちの会長の眠人が毎日頼んでるのに全部スルーなんてさ、それこそ失礼だよ」

「え、そういうこと言うわけ？」

　春帆の目が尖った。慌てて竜征の肘をつかむ。

「ちょっと待ってよ、竜征」

「なんだよ」

「ぼくはなるべく穏やかにお願いしたいんだ。春帆さんがいいって言ってくれるまで頑張って頼むつもりなんだよ。そんなぐいぐい頼まなくてもいいから」

「眠人はまどろっこしいんだよ。イエスかノーか、手っ取り早く白黒つけちまえばいいのに」

竜征が東屋にやってきたときから、面倒な展開になることは予想していた。竜征はトラブルメーカーで有名なのだ。言いたいこともやりたいことも我慢できないせいで。

先週行われたクラス対抗の長縄(ながなわ)大会では、体育教師の京子(きょうこ)先生と揉(も)めた。京子先生は竜征の五年三組の担任で、日頃からぶつかっているのだ。

あの日はその三組がビリの成績だった。京子先生はよほど悔しかったのか、ほかのクラスが見守る中、大会が終わっているのに三組だけ何度も長縄跳びをさせた。しかしたった十回ほどで誰かが引っかかってしまう。京子先生は「優勝した一組と同じ八十六回跳べるまでやめさせないからね」と声を張り上げ、にやにやと笑いながらこうつけ加えたのだ。

「ごめんねえ、わたしのSっ気に火が点いちゃってさ」

そこで鋭く言い返したのが竜征だった。

「何回も何回もやらせるなんていじめじゃん。Sっ気とか言葉をすり替えるのっておかしいって」

京子先生は顔を真っ赤にして怒り、竜征も一歩も引かないので揉めに揉めた。

またこんなこともあった。学校帰りに六年生の男子が自分の父親を自慢したくて、「むかしおれの父ちゃんけっこうやんちゃしててさ」なんて言ってきた。武勇伝を語りたかったのだろう。でも竜征は軽蔑の眼差しで言った。

「やんちゃとか言って軽く見せようとするなよ。おまえんちの父ちゃんのせいで、いやな思いをした人が絶対にいるはずだぞ」

竜征と六年生はつかみ合いのけんかとなり、双方の親が校長室に集まっての大騒動となった。

「イエスかノーかはっきりと白黒つけてほしいわけね？　だったらノーだよ」

眠人と竜征のやり取りを見ていた春帆が、腕組みをして言い切った。

「さあ、帰った帰った」

春帆は野良犬を追い払う手つきで眠人たちを帰そうとした。眠人たちを見ようともせず、三線の調絃を始める。機嫌を損ねてしまったようだ。

どうしてくれるんだよ。横目で竜征を睨む。竜征は無言で手を合わせ、謝罪のポーズだ。それから後頭部をぼりぼりと掻きながら無造作に春帆に近づいていき、突然「すみません」と叫んでジャンプをした。正座の形でコンクリートに着地し、地面に額をこすりつける。ジャンピング土下座だ。

「ちょっとなにやってんの」

　春帆が目を丸くする。

「眠人に三線を教えてやってください」

「土下座なんてやめてよ。顔を上げな」

「春帆さんが三線を教えてくれるまで上げません」

「ずるいよ、そんな方法。どこで覚えたの」

　犬の散歩をしている中年男性が、春帆と竜征をちらちら見ながら通り過ぎていく。ふと立ち止まり、戻ってきそうな気配を見せた。それを察した春帆が根負けというふうに言う。

「わかったから。教えるから。だからいますぐ立って」

「ほんとっすか」

　満面の笑みで竜征は立ち上がった。土下座なんていくらでもやってやる。そんなふうだ。

「呆れた。けろっとしちゃって」

「でへへ」と竜征は鼻の下を人差し指の背でこすった。

「でもね、条件は出させてもらうからね」

「条件ですか」

　反応した眠人に春帆は向き直った。

「わたしがいやな地雷ワードをみっつ言ったら、教えるのはおしまい。君たちのどっちが言っても駄目だから」

「その地雷ワードってなんだよ」

竜征が不服げに言う。しかし春帆はぷいと横を向いた。

「教えないよ。わかってる地雷なんてあるわけないでしょう。条件を飲むの？　飲まないの？」

春帆と竜征がそろって眠人を見た。ごくりと唾を飲みこんでから答える。

「飲みます」

早速、三線に触らせてもらった。春帆は無造作に三線を渡してきた。どこをどう持ったらいいかわからなくて、恐る恐る受け取る。胴に張られた蛇の皮は鱗の一枚一枚がくっきりと見えた。竜征が春帆に尋ねる。

「その蛇の皮って沖縄だからハブ？」

「ニシキヘビだよ。ハブだと胴に張るには小さすぎるでしょ」

三線は見た目は小さいのに重くて、みっちりと詰まった印象がある。ベンチに座り、指導に従って三線の胴を右膝の上に置く。棹は左手で下から支えるそうだ。緊張して手汗をかいてしまう。

「これがバチね。水牛の角でできてる」

バチには穴が開いていて、人差し指を差しこんで使うそうだ。人差し指を入れたら、まるで熊の爪を指にはめたみたいになった。

三線の胴の皮は蛇で、バチは水牛の角。つまりかつて命を宿していたものたちを使って弾くわけだ。それだけで特別なことをしている気がしてくる。よくよく考えてみれば三線の棹だって木で、これもかつて生きていたもの。三線の音色が不思議な魅力を宿している理由は、そのへんにあるんじゃないかと思った。

「バチで絃を引っ搔くんじゃなくて、バチの重さで絃を叩く感じで弾いてみな」

春帆と竜征の視線を浴び、緊張で手元がおぼつかない。楽器をきちんと習った経験はない。音楽の授業で鍵盤ハーモニカとリコーダーをやった程度だ。弦楽器は正真正銘の初めて。怖気（おじけ）づきそうになり、心を落ち着かせるために目をつぶった。

蟬の声が周囲を埋め尽くしていた。理科の先生の話を思い出す。蟬は成虫になって地上で一週間程度過ごすと考えられていたけれど、一ヶ月くらい生きると最近はわかってきたらしい。

とはいえたった一度の夏しか生きられない。その短い一生を精一杯生きていると訴えるかのように、蟬たちは元気に鳴き喚いていた。ぼくはここにいるんだぞって。

自分も負けないように三線を高らかに鳴らしてみよう。せっかく憧れるものに出会ったのだから、その憧れに近づいてみよう。

まぶたを開け、息を大きく吸った。指先に意識を集中させる。蟬たちの声がすっと遠のく。指を走らせ、絃を叩いた。

びーん。

その瞬間、胸の中に大輪の花が咲いた。

なんて深くてやさしい音だろう。魂をどこか遠くまで連れていってくれるかのような音。眠人の住むアパートの室内を塗りこめるくすんだ色に、びしっとひびが入ったように思えた。ひび割れの向こうに青空が広がっていた。なんなら虹だって見えた。

「三線は弾くだけなら簡単だから、小学生でもすぐ弾けるようになるよ」

春帆がいかにも師匠というふうに腕組みで言う。

「かっこいいじゃん、眠人。超似合ってる」

竜征が飛び跳ねて囃(はや)し立てた。

「たしか君、眠人君って名前だったよね。弾いてみたい曲はあるの？　どんな感じの曲をやってみたい？　ポップスだっていいよ」

春帆の質問に間髪を容(い)れずに答えた。

「初めて春帆さんと会った日に歌ってた歌がいいです」

ああ、と春帆は思い当たったのかうなずく。

「『てぃんさぐぬ花』ね。わたしの好きな曲だよ」

春帆は笑みを浮かべた。初めて見た彼女の微笑(ほほえ)みだった。

レッスンは一回三十分。公園で会えたときに限って。そう春帆に言い渡された。夕方に会えて始まることもあれば、夜の八時を過ぎることもあり、土日の昼間にふらりとやってきて始まることもあれば、まったく姿を現さない日もあった。

問題はレッスン中の春帆が面倒くさそうなことだ。眠人が三線を弾いているあいだ、だるそうに携帯電話をいじっている。質問も歓迎されない。『てぃんさぐぬ花』というタイトルもその歌詞も沖縄の言葉なのでわからない。意味を尋ねてみたら、冷たい言葉が返ってきた。

「そのくらい自分で調べな」

わかる範囲で調べようと市立図書館へ行った。沖縄の曲の紹介や三線の弾き方が書かれている本はなかったけれど、児童書コーナーで三線の構造を写真つきで説明している図鑑を見つけた。うれしくなって春帆に教わったことを思い出しながら、ノートに書き写した。

三線を構えたとき、一番上になる太い絃を男絃と書いてウーヂルと呼ぶそうだ。一番下になる細い絃は女絃と書いてミーヂル。真ん中の絃は中絃と書いてナカヂル。絃を押さえないで出す音は開放絃と呼ぶ。ウーヂルの開放絃は合という音階名で呼ばれ、ナカヂルは四、ミーヂルは工。ドレミじゃないんだ、と驚いた。

指で絃を押さえる位置は決まっていて、春帆は勘所と呼んだ。カラクイという名のスティックに巻きつけられた絃が、棹に沿って伸びて最初に触れるのが歌口と呼ばれる部分。そこから胴へ向かって六センチくらいに最初の勘所があって、ウージルなら乙、ナカヂルなら上、ミーヂルなら五の音となっていた。

またそれらの勘所から六センチほど下がると次の勘所があり、ウーヂルなら老、ナカヂルなら中、ミーヂルなら六の音。さらにまた四センチほど下がると次の勘所があり、ナカヂルでは尺、ミーヂルなら七。ミーヂルの場合、またさらに四センチほど下がって八の音があった。

勘所が棹のどの位置にあるか覚えるために、まずは『きらきら星』を練習させられた。三線は絃が三本とギターの五本より少ないし、勘所の数も限られている。なので位置を覚えるだけなら簡単だろうと甘く見ていたら大間違いだった。三線にはギターのような目印がない。自分の指の長さや、棹に沿って手をどのくらい移動させたかで、その位置を覚えなければならなかった。

三線にも楽譜はある。でも五線譜ではなくて、工工四と書いてクンクンシーと読む縦書きのもの。これがわかりにくい。見ただけでは曲が思い浮かばない。

春帆に渡された『きらきら星』の工工四を見て、勘所を探りながら練習する。音をはずしてばかりで、『きらきら星』はよれよれだ。全然きらきらと光らない。わあっと叫んで投げ出したくなる。自分は楽器に向いていないんじゃないだろうか。春帆も呆れているんじゃないだろうか。弱気になり、習うのをやめようかな、なんて迷いが生まれる。

でもレッスンのあとに披露される春帆の演奏をひとたび聞けば、弱気や迷いは吹き飛んだ。春帆の歌と三線は、ぼうっと聞き惚(ほ)れてしまうくらい素晴らしい。こうなりたいという憧れが目の前にいる。明日こそうまく弾いてやろうと決意を新たにする日々を過ごした。

春帆の演奏の素晴らしさは、ときどき様子を見に来る竜征でもわかるようだった。春帆が弾き始めると黙って聞き入る。

竜征はなにに対してもコメントが独特で、大袈裟(おおげさ)すぎる傾向がある。加えて自分の言葉に酔うところがあった。眠人がいままでで一番つらかったできごとを打ち明けたときは、こんな慰めの言葉が返ってきた。

「おれいま世界が泣き出しそうなのを感じるよ」

眠人にはぴんとこなかった。けれど時間が経(た)つにつれ、世界なんて壮大な言葉を竜征が持ち出したことに感謝するようになった。

独特で大袈裟な言い方になってしまうのは、自分の言葉で伝えようとしているからだろう。それはありきたりな慰めの言葉よりもありがたくて、心に残った。

ともかく独特で大袈裟。だから春帆の歌と三線を聞いた竜征の感想はこんなふうだった。

「虹の音が空を渡っていくのが見えるよ。七色の音だ」

広大な都立公園の西側はダム湖になっていて、北から南に向かって巨大な堤防が横たわっている。長さ六百メートルにも及ぶ直線の堤防だ。公園の敷地から階段をのぼれば堤防の上に出られて、ダム湖が一望できる。その湖のはるか上空を、春帆の彩り豊かな音色が響き渡っていく様子を想像した。赤や青や黄色など七色の音符が、風船のようにふわふわと飛んでいく。

「あいかわらず竜征は大袈裟だよ」

突っこみを入れつつも、竜征の言葉は胸の中で響いている。たしかに春帆の音は七色の音だ。虹の音色だ。自分もそんな彩りたっぷりの音色を奏でられるようになりたい。

課題曲の『きらきら星』は五日ほどで弾けるようになった。次に『てぃんさぐぬ花』の工工四をもらった。歌詞はやっぱり理解できない。歌い出しの「てぃんさぐぬはなやちみさちにすみてぃ」からもうわからない。まるで呪文だ。

楽譜はわかりにくいし、曲は初めて弾くものだし、歌詞は理解できない。壁にぶち当たって、上達の速度はいっきに落ちた。見るに見かねたのか、春帆に言われた。

「あのね、眠人君。工工四って細かい指示が書いてないから、曲は耳で覚えなきゃ駄目なんだよ」

「耳ですか」

「インターネットを検索すれば『てぃんさぐぬ花』を歌ってる動画があるから、聞いて覚えてきな」

「それはできないです」

「どうして」

「うちパソコンないから」

散らかった部屋と濁った目をした直彦の顔が頭をよぎる。

「ケータイは持ってないの？　いまって小学生でも持たせる親いるでしょう」

首を横に振る。

「だったらお金かかるけどCDを買いな。中古で千円くらいの沖縄の民謡が入ったCDが売ってるから」

「お金かかるのもちょっと」

しょんぼりとうつむくと春帆は大きなため息をついた。

「しょうがないな」

明くる日、春帆はもう使っていないという携帯型のデジタル音楽プレイヤーを持ってきた。音声データがひとつだけ入っていて、春帆が歌った『てぃんさぐぬ花』を録音したものだという。

「持って帰っていいから、聞いて覚えてきな」

感激して何度も聞いた。しかし家で聞くのは直彦が留守のときだけにした。プレイヤーを見られたら大変だからだ。プレイヤーを持っているのが問題なわけではなく、見つかったら売られてしまうのだ。パチンコへ行きたいにもかかわらずお金がないときの直彦は、申し訳なさそうな笑みを作って近づいてくる。

「あのさ、眠人。おまえ千円でもいいから持ってないか。前に三千円やっただろ」

パチンコが大当たりした日は気前よく小遣いをくれる。でもそんなことは滅多にないし、三千円なんてとっくに使ってしまった。

夕方、家に帰りたくなくて公園で粘っていると、どうしたってお腹がすく。グキュウ、グキュルルルとお腹が大騒ぎする。無視していると気持ち悪くなってしまう。しかたないので買い食いをする。コンビニの商品はみんな高いのでドラッグストアまで足を延ばし、一番安いレジ脇のマドレーヌを買う。奮発して百十円のクリームパンを買ったときは、おいしさよりも罪悪感の味がした。そんなことをくり返しているうちに三千円はなくなった。

「あの三千円はもうないよ」

そう答えたのに、直彦が夜中に眠人の財布を開けているのを目撃した。ランドセルも漁っていた。眠っていたのにごそごそと音がするものだから目が覚めてしまったのだ。薄目で直彦の姿をそっと観察した。夢ならいいのにと願いながら。

春帆の歌う『てぃんさぐぬ花』を聞きこんだおかげで、再び上達は早くなった。しかし十日目、竜征がひとつめの地雷ワードを踏んだ。元はと言えば、春帆との距離を縮めたくて投げかけた眠人の質問がきっかけだった。

「春帆さんっていつから東京にいるんですか」

ベンチに腰かけた春帆は携帯電話から目を離さず、気乗りしなそうに答えた。

「中二の途中から」

「東京はどうですか」

「どうって?」

「慣れましたか」

「まあ、ね。最初は電車に乗るのがいやで、立川(たちかわ)にも自転車で行ってたけど。沖縄って電車ないから」

「でも沖縄ってモノレールあるじゃん」と竜征が会話に横入りしてきた。

「あるけど」

「電車とそんなに違わなくない?」

「全然違うよ。東京の電車って本数多いし、行き先も違うし、快速とか特別快速とか停(と)まる駅が違って混乱するんだよ」

「ふうん。それでさ、春帆さんってなんで東京に来たの。東京でやりたいことあったとか？　夢を叶えたくてとかさ」

春帆は目を閉じて天を仰いだ。不思議に思っているとまぶたを開け、竜征を指差した。

「いまの地雷ワードのひとつめ」

「ええ、どれがだよ」

「夢って言った」

「それのどこが地雷ワードなんだよ」

竜征が春帆のもとへ駆け寄る。春帆は横目で遠ざけるように見て、抑揚のない声で言う。

「わたしがイラッとくる言葉だから地雷なの。文句は受けつけないよ。あとふたつ言ったら三線を教えるのは終了ね」

「なんだよそれ」

いまにもつかみかかりそうな竜征を後ろから羽交い締めにした。

「竜征ちょっと落ち着きなよ」

「大丈夫だよ。放せって」

羽交い締めを解いてやると、竜征は肩を怒らせて東屋の隅まで歩いていった。持ってきていたバスケットボールを拾い、怒りの形相で東屋の外へぶん投げる。

「むぎゅうぉくりゃふぁでめえ！」

意味不明の雄叫びを上げながら、自分で投げたボールを追いかけていった。あ然としてその背中を見送る。同時にほっとした。揉めなくてよかった。揉めたら即座にレッスンを打ち切られる可能性があったからだ。我慢してくれた竜征にはあとで感謝しなくちゃいけない。

しかしながらそれから三日も経たないうちに、竜征はまた地雷ワードを踏んだ。ふたつめの地雷ワードは「お父さんとお母さん」だった。

春帆はいくら沖縄生まれとはいえ、歌と三線がうますぎる。ちょっと齧ったレベルじゃない。昼休み、その謎が竜征とのあいだで話題にのぼった。好奇心の強い竜征は抑えられなかったようだ。春帆に会うなり尋ねた。

「春帆さんのお父さんとお母さんってなにしてる人？　そんなに歌と三線がうまいんだから沖縄で民謡の先生とかやってんの？」

「はい、アウト」

「は？」

「地雷ワードだよ」

竜征は一瞬きょとんとしたあと大爆発した。地団駄を踏み、「おれにとっておまえが地雷だ！　二度と来ねえ！」とキレて帰っていった。慌てて追いかけると、「眠人はレッスンちゃんとやってもらえ」と言い捨てて全速力で走っていってしまった。

　心苦しかったけれど春帆のもとへ戻った。三線を弾きながら、竜征はレッスンに立ち会わないほうがいいのかもしれない、なんて考えた。春帆と余計な会話をするから地雷ワードを踏んでしまうのだ。春帆との会話は三線についてのみにしよう。そう心に決めたところがだ。竜征は明くる日もやってきた。土曜日の昼間で、春帆が来ないうちからサッカーボールを小脇に抱えて姿を現した。「昨日、来ないって言ってたじゃん」と話を向けると言い分はこうだ。

「ＯＺＣの会長の眠人が頑張ってるのに、見届けないわけにいかないだろ」

「うれしいけど別にいいってば。竜征は竜征で自分の好きなことやりなよ」

「だったら、おれは見届けることにする。それがおれのやりたいことだからな」

　一度言い出したら言うことを聞かない。したいようにさせておくしかないのだ、竜征は。

「でも竜征は春帆さんとしゃべるとまた地雷ワード踏むと思うよ」

「それなんだけどよ」と竜征が器用にリフティングをしながら言う。「夢とかお父さんお母さんとかって本当に地雷ワードだと思うか」

「どういう意味」

「実は三線のレッスンをやめたくて、適当な言葉を選んで地雷ワードってことにしてるんじゃねえのかな」

　目から鱗の意見だった。悲しいことにその可能性はたっぷりとあった。泣きたくもないのに喉の奥からしょっぱい味が込み上げてくる。涙の予感の味だ。気づいた竜征がサッカーボールを踏んで止めた。

「ちょっとちょっと眠人、そうがっかりするなって。早い話が春帆に地雷ワードって認定されそうな言葉をおれたちが言わなきゃいいだけじゃん。それにおれやっぱりあの人が嫌いでさ、顔に出ちゃってるからおれの言葉をなんでもかんでも地雷ワードって言ってくるんだよ」

「そうかな」

「そうだよ。だから心を入れ替えることにした」

「心を入れ替える？」

「明るく楽しく春帆と話してみるよ。地雷ワードなんてきっと嘘だってば。春帆をいやな気持ちにさせなきゃ地雷ワードなんて言ってこないよ。明るく楽しくおだてて、いい気分にさせる作戦だよ」

そううまくいくだろうか。けれどけんか腰で接するよりは、明るく楽しくのほうがいいに決まっている。

「じゃあ、よろしく頼むよ。明るく楽しく」

「まかせとけって。明るく楽しくいい気分作戦だ」

竜征はにこにこの笑顔で春帆と接した。とても頑張っていた。けれどせっかくの作戦も失敗に終わった。みっつめの地雷ワードは、竜征がくり出したたくさんのお世辞に交じっていた。

春帆をいい気分にさせるため、竜征は歯の浮くようなお世辞をずらすらと並べた。「春帆さんの歌と三線って最高ですよね」「心が洗われます」「いつかコンサートできるんじゃないですか」「教えてもらってる眠人がうらやましいな」「春帆さんが三線を構えてる姿ってかっこいいっす」「モデルになれますよ」「歌がうまいんだから、踊れるようになればアイドルにだってなれちゃうかも」

うんざりと聞き流していた春帆が、すっくと立ち上がった。無表情のまま眠人に近づき、手から三線を奪っていった。なんの説明もないままケースにしまってしまう。竜征が血相を変えて尋ねた。

「どうしてレッスンをやめるんだよ」

「地雷ワードのみっつめ。アイドルって言った」

「アイドルが地雷？　意味わかんねえこと言うなよ。本当は地雷ワードなんてないんだろう。適当なこと言って、おれたちと関わるのをやめようってわけなんだろう。お見通しなんだからな」

春帆は顔色ひとつ変えず、三線のケースから四つ折になった白い紙を取り出した。開いてこちらに見せてくる。文字が走り書きされていた。

〈アイドル〉

〈夢〉

〈パパママ〉

　本当にあったんだ。ぐうの音も出なかった。

　春帆がリュックを背負い、三線ケースを肩にかけて東屋を出ていこうとする。これで三線のレッスンは終わりだろうか。くすんだ日々に逆戻りだろうか。眠人がおろおろしていると、竜征が春帆の背中に問いかけた。

「なんでそのみっつが地雷ワードなんだよ」

　首だけで春帆が振り返る。

「わたしがイラッとするもんだって言ったでしょ」

「アイドルも夢もお父さんお母さんも、話してて普通に出てくる言葉じゃん。言わないようにするほうが無理だよ。なんで駄目なのか、それくらい教えてけよ」

　竜征は春帆の前に回りこみ、両手を広げて通せんぼした。強引だ。でもなぜ駄目なのかは眠人も知りたかった。

　春帆は眠人たちより十センチほど身長が高い。通せんぼする竜征を押しのけて帰ることだってできるはずだ。けれどもリュックと三線ケースをテーブルに下ろし、わざとらしい深いため息をついてから口を開いた。

「簡単に説明するよ。わたしは小さいころからアイドルになりたかったの。歌って踊って人を元気にするアイドルになるのが夢だったの。だから中二のときにパパとママの反対を押しきって沖縄から出てきて、親戚の家にお世話になりながらアイドルのオーディションを受けてきたの。でも今日まで全滅。最悪なんだよ。だから地雷ワード。触れられたくない話題ってことなの」

「え、歌うまいじゃん」と竜征がやや的はずれな意見をはさむ。

「あのね、わたしくらいのレベルはいくらでもいるんだよ。たとえ歌がまあまあよくても顔が七十点、スタイルが七十点、ダンスが七十点のわたしじゃ、オーディションは受からないってわけ。どっちかって言うと歌やダンスがいまいちでも、顔やスタイルが百点の子のほうが受かる世界なんだってば」

「春帆さんは七十点なんかじゃないと思いますけど」

聞き流せなくて眠人は割って入った。実際、春帆はきれいな人だと思う。しかし春帆は自分を嘲るように、「はは」と乾いた笑い声をもらした。

「お世辞はもういいから。わたしさ、オーディションに受からなくて切羽詰まってたとき、地下アイドルのグループにスカウトされたんだよね」

「地下アイドル？」

竜征と眠人の声がそろう。

「大きな事務所に所属しないで、テレビも出ないで、小さなライブハウスで歌って踊るアイドルって言ったらいいかな。〈教えてティーチャーズ〉っていう地下アイドルのグループに入ったの。センターの子が国語担当のかわいい子で、暗算の得意な子が数学担当で、絵のうまい子が美術担当で」

「春帆さんは？」と竜征が尋ねる。

「わたしは体育。みんなが色白なのに、わたしだけ日焼けしてるみたいな肌の色をしてるからだって。外で運動してそうだっていうあほみたいな理由だよ。体育の先生って設定だから、ステージの上で腹筋とか縄跳びとかやらされて本当にいやだった」

「楽しそうじゃん。なあ？」と竜征に同意を求められる。返事に困っていると春帆が苛立ちをあらわに言った。

「楽しくなんかないよ。すごくきつかったんだってば。ステージで歌っても全然お金もらえないし、そのくせレッスン代も交通費も自腹。メンバーはどんどん辞めてくし、変なファンに待ち伏せとかされるし。だけどいつか国民的アイドルグループに入って、紅白に出たかったんだよ。地下アイドルなんてその前の踏み台くらいにしか思ってなかったの。それなのに地下アイドルやってることを誰かが学校にチクってさ」

「学校に？」

「うちの学校って芸能活動禁止なんだよ。おかげで停学を食らって、夢への道はおしまいって状況なの。お先真っ暗ってやつ。絶望なんだよ。地獄なんだよ」

話しているうちに興奮してきたのか、春帆の口調はどんどん強くなっていった。そして言い終えたとたん、がくりと肩を落として黙ってしまった。

急な沈黙に戸惑う。春帆の目から光を感じない。見たことのある目だと気づく。直彦といっしょの目だ。あきらめた大人の目。たぶん春帆はいま大人への分岐点に差しかかっているのだろう。直彦みたいな希望を失った大人への分かれ目に。

「なあ眠人、帰ろうぜ。三線を教えてくれないって言うんだからさ」

竜征はあっけらかんと言ってサッカーボールを拾い上げた。絶望だ、地獄だ、と口にした春帆を残して帰ろうとする竜征に驚く。冷たいようにも思えるし、他人を見捨てていける強さを持っているようにも思える。

それに引き換え、自分は駄目だ。ぐずぐずと春帆のそばから離れられない。かと言ってやさしい言葉をかけられるわけでもない。年上の人の沈黙ってどうしても苦手だ。どんな言葉を口にしても不正解が待っている気がしてしまう。

「ほら、行こうぜ」

竜征にうながされてベンチから立ち上がった。春帆に向かって一礼をする。

「いままで三線を教えてくれてありがとうございました。あ、これも」

借りていた音楽プレイヤーをテーブルに置く。春帆は無反応だ。迷ったけれどその横顔に向かって尋ねた。

「春帆さん。レッスンがもう終わりなら最後に教えてください。『てぃんさぐぬ花』ってどういう意味だったんですか。歌詞の内容ってどんなふうだったんですか」

電気が通ったみたいに春帆はぴくんと反応した。暗い目が眠人に向けられた。

「てぃんさぐっていうのはホウセンカのことだよ。沖縄ではむかし女の人や子供が、爪にホウセンカの花をしぼった赤い汁を塗る風習があったんだって。その汁はよく染まってなかなか取れないから、それと同じように親の教えは心に深く染めなさいっていう教訓の歌なんだよ」

「うひゃひゃひゃひゃひゃひゃ」と唐突に竜征が甲高く笑った。

「なにがおかしいの」

怒ったせいか春帆の瞳に生気が戻ってきた。

「親の教訓だなんてちゃんちゃらおかしいよ。だっておれたちOZCなんだぜ」

「だからなんなの、それ」

竜征は眠人に向かって視線を送ってきた。しゃべっていいか、と了解を求めてきていた。しかたなくうなずく。

「OZCってのは大人絶望クラブのことだよ。頭文字をくっつけてOZC。おれたちは大人に絶望してるんだ」

「大人に絶望？」

「そう、絶望だよ。昨日だって最低だった。うちの母ちゃん、働くところを変えるたびにそこで働いてる男の人を好きになっちゃうんだ。いまファミレスで働いてて、料理を作ってる男の人を好きになっちゃってさ、その人の家から帰ってこなくなった。いつものパターンなんだけど。で、毎回父ちゃんと迎えに行くんだけど、昨日はめっちゃ大変だったんだ。修羅場って言うんだろう、大人は。母ちゃん、帰りたくないって大暴れして、台所から包丁を持ってきて畳に突き刺してこう言うんだ。わたしを連れて帰るつもりならいますぐ殺せって」

春帆の目が驚きで見開かれ、固まっていた。

「うちの母ちゃん、男の人を好きになるとおかしくなっちゃうんだ。向こうの男の人もうんざりしてて、本当は母ちゃんのこと好きじゃないって伝わってくるんだ。親戚のおばちゃんが言ってたよ、遊ばれてるって。しかたないから父ちゃんがこれまたいつものパターンで土下座して頼んで連れて帰ってきた。もう何年もこんな感じさ。相手の男の人が何人目かなんて覚えてないし、父ちゃんに離婚しろって言っても別れようとしないし、母ちゃんのあれはたぶんなにかの病気だよ。どうしようもないんだ、大人たちって」

絶句する春帆に竜征は笑って続けた。

「おれはまだいいほうだよ。眠人なんてもっと大変なんだぜ」

春帆がゆるゆると眠人に視線を移した。

「眠人はさ、父ちゃんに首を絞められたんだ。それでも学校に来てるんだからすげえよ。図書室で本を何冊も借りて勉強熱心だしさ。眠人って尊敬できるんだ。だからOZCの会長になってもらったんだよ」

あの夜の記憶がよみがえる。二年生のときのことで後ろからだった。いまよりほっそりとしていた眠人の首を、直彦のごわごわの手が包みこむようにつかんだ。工場で働いているせいもあって、指先までざらざらと荒れていた。背後から弱々しい声が聞こえた。

「お父さん、生きる意味がわからなくなっちゃったよ」

直彦はどれくらい本気だったのだろう。指は首にじわじわと食いこんだ。不思議なことにこわくなかった。考えていたのはこんなことだ。

早く終わらないかな。

いまにして思えば、なにが終わってほしかったのだろう。首を絞めるなんてばかな行為が終わればいいと思っていたのか、死んじゃって直彦との日々にピリオドが打たれることを期待していたのか。

絞められていた時間は三分もない。カップ麺ができ上がる時間より短い。でもいままでで一番永遠に近い時間だった。

そうした永遠を打ち破ったのは直彦のすすり泣きだった。急に泣き出し、後ろから抱きしめてきた。ごめん、ごめん、とくり返して、最後には子供みたいに泣きじゃくった。弱い人だとぼんやりと考えた。そんな弱い人だから、前から顔を見て首を絞めることもできないのだ。

「眠人ってすげえだろ」

竜征が春帆に向かって胸を張った。誇らしげな顔をしている竜征には申し訳ないけれど、あの夜の記憶はおぼろげだ。そしてあの日以降、首を絞められる夢を何度も見る。おかげで記憶と夢の境目はぼんやりとしてしまった。

ただ吐き気を催すほどの強烈な嫌悪は眠りから覚めても胸に残っていて、直彦の指の感触を思い出させるものはみんな苦手になった。手汗や肌の脂分やぬるい体温が大嫌いだ。人の肌に触れるのも触れられるのも嫌い。触れられると、ぞぞぞっと悪寒が走り、そのあとを追いかけるようにして鳥肌が広がる。

「君たち」

春帆が絞り出すようにひと言だけもらした。そのまま黙ってしまう。驚きすぎて次の言葉が出てこないみたいだった。同級生の女子に同じことを話したときといっしょの反応だ。かわいそうといった顔のまま言葉を失っていた。言葉にならないほど自分はかわいそうなのか、とその反応からかえってショックを受けた。

一方で春帆が黙ったのは気分が盛り下がったせいかもと不安がよぎる。同級生の男子に話したときには、こんなことを言われた。

「そういう重い話はやめろよ。気分が下がるだろう」

つらい話を聞かせれば、相手を不快にしてしまう。個人的な悲しい話、苦しい話、寂しい話をするのは申し訳ないことなのだ。そう学んだ。

春帆が眠人と竜征を交互に見る。憐れみの色が瞳に浮かんでいた。ああ、そっちかと安堵する。いったいいつからだろう。こうした向けられた憐みに敏感になったのは。竜征も察知したらしい。

「おっと、かわいそうなんて思ってもらう必要はねえからな。おれたちはおれたちをかわいそうなんて思ってないんだから。おれたちはここから夢を見るし、誰よりも早くたどり着いてみせるからさ」

竜征は小脇に抱えていたサッカーボールを、東屋の外に向かって思いきり蹴飛ばした。ボールは青空を背景に高く飛び、芝生で大きく弾んだあと茂みで止まった。

「君たち」

春帆は再び言って眠人に近づいてきた。あとずさったら竜征と並んだ。目の前に立つ春帆は険しい表情をしている。なにをするつもりだろう。息をのんで見守っていると、春帆は勢いよく頭を下げた。

「ごめんね、眠人君、竜征君。わたし、自分が世界で一番不幸だって考えてた。だから地雷ワードなんて意地悪なことした。絶望とか地獄とかわたしが言っちゃ駄目だよね。君たちのほうがもっと大変なのに」

「そんなことないって」と隣で竜征が口を開く。「絶望を測れる物差しなんてないもん。人それぞれで比べられないよ。たぶんさ、人は誰もが世界で一番不幸だって思うようにできてるんだよ」

あいかわらず独特の表現だ。今日はさらにキザっぽい。でも言いたいことはよくわかった。絶望は人それぞれで比較なんてできない。そして誰の中にも地獄はあるのだ。その人だけの地獄が。

でもこんなことも考えた。誰の中にも希望はあるはずだ。天国だってある。それは春帆の三線と歌が気づかせてくれたこと。気づかせてくれた春帆には感謝しかない。だから彼女には謝ってほしくない。

まずは感謝を伝えよう。できるなら竜征みたいにかっこいい言葉で。けれど頭をフル回転させて言葉を探していたら思わぬことが起きた。

グキュウ、グキュルルル。

お腹が盛大に空腹を訴えた。竜征が「だはは」と笑う。春帆の顔には驚きと心配の半分ずつが浮かんでいる。

「す、すみません」

大切な話をしている最中に腹が鳴るなんて自分の体が恥ずかしい。たぶんいま耳まで真っ赤だ。

「もしかして眠人君、お昼を食べてないの？」

お昼は食べていない。というより朝ごはんが遅かったので、晩ごはんまでなにも食べる予定がない。土日はいつもそうだ。竜征が心配顔で聞いてくる。

「大丈夫かよ」

「全然、大丈夫」

苦笑いで答えると、竜征が春帆に向かって説明する。

「眠人の父ちゃんってケチで、あんまりごはんを食べさせてくれないんだ」

「そうなの？」

春帆はしゃがんで眠人と視線を合わせてきた。顔が目の前にあって緊張してしまう。なにも答えられないでいると、春帆はやわらかく微笑んだ。

「君たちに提案があるんだけど、いまからわたしんちに来ない？　わたしんちって言っても伯母さんの家なんだけど。なにか作ってあげるからいっしょに食べようよ」

突拍子もない申し出に竜征と顔を見合わせる。竜征はにやりと笑い、勢いよく挙手した。

「行きます！　おれ行きます！」

春帆と竜征がそろってこちらを見た。

「ほら、眠人君も遠慮しないで。ごめんなさいの意味も込めてのことだから」

「ごめんなさいの意味？」

「わたしの三線のレッスン、適当だったよね。そのごめんなさい。だからぜひ食べに来てよ」

語りかけてくる春帆の瞳はやさしかった。やさしい人であることはわかっていた。初めて会った日に蚊よけのスプレーをかけてくれたときから。

「ぼくも行きます」

おずおずと手を挙げてみた。


公園を出て左に曲がり、同じような家が建ち並ぶ住宅街の入口で立ち止まる。先頭を歩いていた春帆が振り返り、眠人と竜征に小声で言った。

「ここからさきはしゃべらないで静かに歩いてもらっていいかな。伯母さんちの隣の家の人が神経質で、ちょっとでもうるさいとすぐ苦情を言ってくるんだよ。おかげで三線の練習もできなくてさ」

眠人と竜征は大きくうなずいてから、口にチャックのジェスチャーをしてみせた。隣人は沢見(さわみ)という名のおばあちゃんらしい。

春帆が住まわせてもらっているという家は住宅街の奥まったところにあった。表札には鈴木と書かれている。春帆のお母さんのお姉さんは、東京に出てきて看護師になったそうだ。その後、鈴木さんと結婚してここに家を買ったらしい。

「あ、こんにちは」

急に春帆がよそ行きの声を出し、隣の家へ向かって会釈した。塀の向こうの小さな庭に白髪の老人が立っていた。痩せていて背は高め。例の苦情を言ってくるという沢見さんだろう。春帆の挨拶は聞こえたはずなのに、なにも答えずに眠人と竜征のほうを見つめてくる。まばたきもせず無言で気味が悪い。

「では、どうも」

春帆が明るく言って、鈴木家の玄関のドアを開けた。逃げるようにして玄関の中に入る。

「なんかおっかねえな、あのばあちゃん」

竜征が顔をしかめる。

「ちょっと変わってるんだよね。わたしはいつも笑顔で逃げるようにしてる。ま、気にしててもしょうがないから上がって。今日は夜までわたしひとりだからさ」

春帆がスリッパを用意してくれた。「そんじゃ、お邪魔します」と竜征は靴を脱ぎ散らかしたまま、スリッパも履かずに玄関から続く廊下をどたどたと走っていく。

「お邪魔します」

緊張しつつ眠人も続いた。友達はいないし、親戚づき合いもない。他人の家に上がる経験なんてほとんどなくて、どういった態度で過ごせばいいかわからない。廊下を進むだけなのにロボットみたいなぎこちない歩き方になる。

長い廊下を抜けると広いキッチンになっていた。春帆にテーブルで待っているように言われ、竜征と並んで着席する。落ち着かなくてきょろきょろと見回した。

フローリングの床はぴかぴかだ。食器棚には高そうなお皿やコップが並んでいる。冷蔵庫は見上げるくらい大きい。どこを見ても掃除と整理整頓が行き届いていて、住んでいる人がきっちりした人であることが伝わってくる。テーブルにはラムネ色をしたガラスの一輪挿しがあった。小さくて可憐（かれん）な白い花が一本だけ飾られている。心に余裕のある人が住んでいるんだ。そんなふうに感じた。

春帆は十五分ほどコンロの鍋に向かったのち、お盆にどんぶりをみっつ載せてテーブルにやってきた。

「お待たせ。どうぞ」

どんぶりには太めの白い麺が入っていた。上に大きな肉が載せられている。白いかまぼこと紅しょうがも添えられていた。見るなり竜征が万歳をした。

「これってもしかしてソーキそばってやつ？」

「ちょっと違うんだな。これは沖縄そば。ソーキそばは沖縄そばのうちの一種だよ。ソーキっていう豚の骨つき肉が載ってるもの。わたしが作ったのは豚の三枚肉が載ってる普通の沖縄そば」

「豪華そうだけどおれたちが食べちゃっていいの？　鈴木さんちのごはんとかだったら悪いじゃん」

「大丈夫。伯母さんがわたしのためにいつも沖縄の食材を用意してくれてるんだよ。沖縄が恋しいだろうからって」

「そういうことなら」と竜征は手を合わせ、「いただきます」と元気よく叫んだ。眠人も同じように手を合わせ、箸を手に取った。

どんぶりに顔を近づけたら鰹節（かつおぶし）の香ばしいにおいが鼻いっぱいに広がった。まずは汁を飲んでみる。甘じょっぱくて、肉のうまみが染み出していた。その味わいが口に残っているうちに急いで麺をすする。麺は嚙（か）みごたえがあって、でもするりと飲みこめた。

「おいしい」

反射的に言葉が出た。世界中に訴えたくなるようなおいしさだ。

「超うまいっす」

竜征は大興奮の様子で、どんぶりを抱えて食べている。

「おい、眠人。肉を食べたか」

「まだだけど」

「食べてみろ。びっくりするぞ」

汁にひたされた豚肉は分厚くて、肉と脂が交互に重なった様子は理科で習った地層みたいだ。口に運んでみると、ほろほろと崩れて口の中で消えた。こんなにやわらかい肉を食べたのは初めてだ。甘辛い味つけもいい。これをおかずにしたらごはんを何杯も食べられそうだ。

「おいしすぎる」

眠人があ然としてつぶやくと、春帆が満足げに聞いてきた。

「そんなにおいしい？」

「おいしいです」

夢中で食べた。汁も飲み干した。気がつけば竜征よりも早く食べ終わっていた。春帆なんてまだ手もつけていない。

「まだ食べられそう？」

春帆の言葉にうなずく。すると春帆は自分のどんぶりの半分を眠人に、もう半分を竜征のどんぶりに分けた。

「お腹すいてないからふたりとも食べて」

分けてもらった麺も肉もぺろりとたいらげた。空っぽになり、あらわになったどんぶりの底を見て我に返る。やばいな、と下唇を嚙み、動かずに耐えた。

「どうしたんだよ、眠人」

異変に気づいた竜征が聞いてくる。ばれずにやり過ごしたかったけれど、かけてもらった言葉が引き金になった。涙がぽろりとこぼれる。

「ど、どうしたの」と春帆が慌てふためく。「急いで食べて、お腹痛くなっちゃった？」

ぶんぶんと首を横に振る。

「もしかして悲しいことを思い出したとかかな」

それにも首を振った。

「もしわたしがいやな気持ちにさせちゃったのなら謝るよ。なんで泣いたか言ってみな」

春帆は悪くない。勝手に泣いているのに、やさしく接してくれる春帆に申し訳なくてさらに涙が出た。

泣いている理由も言えなかった。おいしい沖縄そばをご馳走（ちそう）になったら、普段カップ麺を食べている自分がみじめになったなんて言えない。

春帆は自分の母親ではない伯母さんからでも、沖縄の食材を用意してもらっている。毎日おいしい料理を作ってもらい、楽しく食卓を囲んでいるのだろう。それに引き換え、自分は実の父親からなにもしてもらっていない。夕食なんて電気の点いていない暗い部屋で、もぐもぐと口を動かすだけ。ほったらかしにされている。

自分の生活が普通ではないと気づいたのは最近のことだ。カップ麺ばかりのごはんも、風呂にほとんど入らないことも、直彦がパチンコに行っているあいだ家でじっとしていることも、当たり前だと思っていた。

　三年生くらいから薄々おかしいと疑い始め、竜征と親しくなって初めて家の中についてて人に話すようになり、我が家が普通ではないと認識した。それでも竜征がＯＺＣの会長と持ち上げてくれたり、竜征も家庭内の問題を打ち明けてくれて大変なのは自分だけじゃないと思えたりしたことで、気持ちが真っ黒になることもひねくれることもなく過ごせてきたのだ。

　けれど親以外からでも大切に扱われる春帆を見て、傷口から生乾きのかさぶたをべりっと剝がしたかのような痛みが心に走った。

　竜征がテーブルの隅にあったティッシュボックスに手を伸ばし、眠人の目の前に滑らせた。二、三枚抜き取って涙を拭く。珍しく竜征が黙ったままだ。たぶんいま感じているみじめさを見抜いているのだろう。黙っているのはその証しに思えた。

「すみません。もう大丈夫です」

　涙を拭いたティッシュを丸め、ぎゅっと握りしめてズボンのポケットにねじこんだ。

　春帆がうなずいて立ち上がり、冷蔵庫へ向かう。紙パックのオレンジジュースを取り出し、グラスに注いでひとつを眠人の前へ、もうひとつを竜征の前へ置いた。

「これ飲んだら気分転換にわたしの部屋で遊ぼうよ。ゲームする？　アニメでも見る？」

「おれ、ゲームがいい！」と竜征がはしゃいだ声を上げた。少しばかりわざとらしく。

春帆が初めて眠人と呼び捨てにした。でもいやな印象はなかった。竜征に呼ばれているときと同じ親しさを感じられた。

「ゲーム持ってなくてやったことないから、いっしょに楽しく遊べるかわかんない」

拗ねつつ答えたら、春帆は「そんなこと気にしなくていいのに」とやわらかく笑った。

「じゃあ、眠人もゲームね。わたしの得意なゲームにつき合ってもらうから。あ、これは命令ね。三線の師匠からの命令」

「え」

「え、ってなによ。命令に不服ってことかな」

「そうじゃなくて師匠って言ったから」

春帆は一転して真面目な表情となった。

「眠人がいやになってなかったらだけど、三線のレッスンをこれから続けたいと思うんだよね。どうかな」

「よ、よろしくお願いします」

「よかった。それならまずジュース飲んで、そんで早く遊ぼうよ」

喜びと興奮で大急ぎで飲んだ。顎を上げてごくごくと飲み干す。同じ姿勢で飲んでいる竜征と視線が合った。竜征が目を細める。よかったな、と伝えてきているに違いなかった。

　ゲームを三時間もやった。自分の番ではないときはカーペットに寝転がって漫画を読んだ。春帆の部屋には少年漫画のコミックスがたくさんあって、読んでみたかったものばかりだった。ゲームはやり放題。漫画は読み放題。天国のようだ。

　ゲームをやっているあいだ、春帆はぽつぽつと自分のことを話してくれた。祖母が那覇（なは）で三線教室を開いていること。そのせいもあって幼いころより琉球（りゅうきゅう）民謡に親しんできたこと。せっかく東京に出てきたのに、この街は五分も歩けば埼玉県に入る畑だらけの田舎でがっかりしたこと。東京の学校では浮いてしまうこと。でも東京に少しずつ染まりつつあり、自分を「わたし」と呼んで驚くときがあること。

　沖縄の人たちは自分を「ぼく」とか「わたし」とは呼ばないそうだ。自分の名前である「春帆」とか「自分」などと呼ぶのだという。「わたしとかぼくって気取ってる感じするんだよ」だそうだ。同じ理由で人を呼ぶときは「君」とか「ちゃん」をつけず、呼び捨てにするらしい。

　春帆の部屋は二階にあるふた部屋のうちのひとつで、もともとは従兄（いとこ）の部屋だという。従兄は大学を卒業したあと大手のバイクメーカーに勤めていて、熊本に新しくできた工場でいまは働いているそうだ。

「あれって従兄の趣味？」

竜征が壁に貼られた大きなポスターを指差す。眠人でも知っているような有名なアイドルグループのメンバーのひとりが制服姿で微笑んでいた。

「あれはわたしの推しメン。この部屋にあるアイドル関連はみんなわたしのものだよ」

壁にはポスターだけでなくカラフルなタオルが張られ、春帆が応援していると思われるアイドルの名前が大きく入っていた。本棚にはポスターと同じアイドルの写真集が表紙をこちらに向けた状態で立てかけられ、机にはクリアファイルやペンライトが置かれている。

「本当にアイドルが好きなんだな」

感心というより呆れたふうに竜征がつぶやく。

「憧れの世界なんだよ。もういいんだけど」

「もういいってなんでだよ」

「メジャーなアイドルになるの、もうやめようと思って」

「どうして」

「ほかにやりたいこと見つけたからさ」

「だったら地下アイドルはどうするんだよ」

「あれはとっくにリタイア状態だもん。体調を崩して活動休止中ってことになってる。

このままフェードアウトだね。よくある話だよ」

「ファンは悲しまないの？」

　竜征の質問に春帆が一瞬怯んだ。

「わたし、カタカナのハルホって名前で活動してたんだけど、ネットで検索したら心配してくれてる人が何人かいたよ。ハルホちゃんどこ行っちゃったんだろうって。ハルホちゃんの歌、好きだったのにって」

「もったいない気がするけどなあ」

「もういいんだって」

「だったら最後になんか歌ってよ。〈教えてティーチャーズ〉の歌」

「どうしてそういう話になるの。それにあんたよくグループの名前を覚えてたね。けどさ、やだよ。歌ったりしたらお隣の沢見さんが文句言いに来るもん」

「じゃあダンスだけでも見せてよ」

「なんで見たいの」

「だって生のアイドルなんて見たことないもん。もしかしたら一生見られないかもしれないじゃん。あ、そんなにいやがるってことは、地下アイドルやってたこと封印したいの？　黒歴史ってやつか」

「そんなことないって」

むきになって言って春帆は立ち上がった。携帯型の音楽プレイヤーを取り出し、外付けのスピーカーに接続する。スピーカーから明るくてテンポの速い曲が流れ出した。

「この曲、一番人気があったんだよね」

春帆はベッドの上に立ち、曲に合わせて踊り出した。手の振りつけが印象的で、手のひらがひらひらと舞ったかと思うと、つっと指先が走る。足のステップは細かく、ときどきターンが入った。制服のスカートがふわりと舞い、逆回転のターンとともに足に巻きつく。きれいに見える瞬間とかわいく見える瞬間がぎゅうぎゅうに詰めこまれたダンスで、見ていると気恥ずかしくなって目をそらしそうになるのだけれど、引きこまれて目を離せない。

聞こえてくる歌声は複数のメンバーが歌ったもの。でも春帆の声は判別できた。『てぃんさぐぬ花』を何度も聞いたからわかった。沖縄の民謡とは歌い方が違っていても耳が拾う。高音に差しかかると、かすかに鼻にかかった声となる。

「はい、終わり」

曲の一番が終わったところで再生を止めた。カーペットに腰を下ろし、恥ずかしそうに乱れた前髪を直す。

「すげえ、かっこよかった」

竜征が立ち上がり、拍手を送った。

「それ本気で言ってる？」

　春帆は疑いの眼差しだ。

「もちろん。おれそんなふうに踊れないもん。それに〈教えてティーチャーズ〉のハルホのファンもいたわけでしょ。それって誰かの好きになれたってことじゃん。かっこいいよ。だよな、眠人」

　こくこくとうなずく。誰かの好きになる。それはとても難しい。うらやましくもある。自分もいつか誰かの好きになれるだろうか。それだけの価値のある人間になれるだろうか。

「そんなふうに褒めてもらえてうれしいよ。わたし、なりたかったようなアイドルになれたわけじゃなかったからさ。ただね、アイドルを夢見てよかったなって思うことはたくさんあるよ」

「たとえば」と竜征が首をかしげる。

「夢を見たから出会えた人がたくさんいた。自分の可能性や未来について考える機会もたくさんあった。だからさ、君たちよりひと足早く大人になるわたしからひとつアドバイスしておくね」

　春帆はひと呼吸置き、両膝をぎゅっと抱えて言った。

「夢は見ておいて損はないよ」

ゲームに戻り、一時間ばかり対戦した。竜征はクラスの女子をからかうような口調で春帆に接し、春帆は生意気な弟の遊びにつき合うような態度で接した。なんとなく感じていたことだけれど、ふたりは馬が合う。ふたりとも言われた言葉への反応が速い。他人の行動もよく見ていてすぐに対応する。ふたりは同じジャンルの人間って感じがする。

唯一の友達と尊敬している人が仲良く過ごしている。この状況についにやにやしてしまう。あんなに仲が悪かったのに。いがみ合っていたのに。人と人のつながりって不思議だ。

もっと遊んでいたかったけれど、竜征の帰宅時間に合わせて鈴木家を出た。春帆は公園まで送ってくれて、公園の正門での別れ際に笑顔で言ってきた。

「また遊びにおいで」

「やったあ、明日にでも行きたいぐらいだよ」と例のごとく竜征が即答し、うれしそうに眠人の肩を叩いた。「またいっしょにお邪魔しようぜ」

「うん」

一応、快く答えたつもりだ。でも心にためらいの影が差していた。

春帆の家に行くのはうれしい。ゲームも漫画も楽しい。竜征が春帆と親しくしているのを見るのも好きだ。

けれど家に上がり、生活の様子を目の当たりにすれば、きっとどうしたってうらやましまう。

い自分の姿を突きつけられるくらいなら、お邪魔しないほうがましかな、なんて考えて

しくなる。真っ暗でごみに溢れた部屋に帰るしかない自分がみじめになる。見たくもな

「あ、いまの返事なし。行けたら行ってやってもいいぜ」

唐突に竜征が意見を翻した。眠人のためらいを見透かしたからだろう。春帆がきょと

んとした顔となる。

「あら、そう。だったら来られたらでいいけど。今度来たらサーターアンダギーを作っ

てあげる」

「なんだよ、それ」

「沖縄のおやつ。ドーナツみたいなやつだね」

「う」と竜征が小さく呻く。サーターアンダギーを食べてみたいのだろう。しかしぶる

ぶると首を横に振った。食べたさを振り払ったようだ。

「おれたちは野良犬じゃねえからな。餌づけされて尻尾振るようなまねはしねえ」

「どうしたの急に。そんな話してないでしょう。ていうかそういう大袈裟なせりふ、ど

こで覚えてくるの」

いきがる竜征に春帆は首をひねった。

「急に態度が変わったのは春帆のほうじゃん。突然やさしくなってさ」

「お、呼び捨ていいねえ。なんか沖縄っぽいよ」

「話をそらすなよ」

「うーん、たぶんだけど沖縄の人ってそういうところあるんだよ。心を許したらめちゃめちゃやさしくなる。仲間意識が強いっていうか。外の人には厳しいんだけどね。客観的に考えたことなかったけど、わたしにもあるのかもねえ。まあ、いいでしょう。せっかく仲良くなったんだから細かいこと言わないで」

「調子いいことばっかり言ってる気がするなあ」

「そういうところも沖縄の人にはあるって言われるね。でもこれはわたしの性格かな。実はけっこう適当なんだよね」

「とにかく、行くか行かないかはおれと眠人で決めるから。それだけだよ」

のどやかな調子で会話を続ける春帆に根負けしたのか、竜征は無理やり会話を切り上げた。

「オーケー。君たちの気が向いたときでいいからおいで。で、これを渡しておくね」

春帆は制服のポケットからふたつ折のメモ紙を取り出した。ひとり一枚ずつ用意されていて、なぜか百円玉といっしょに渡された。メモ紙を開くと電話番号が書いてある。

「君たち携帯電話を持ってないから、メールとかメッセージを送れないわけでしょう。だから電話番号を教えておくから。いつでもかけてきていいよ。ていうかなんかあったら、必ず逃げてくるんだよ」

最初、聞き間違いかと思った。よく耳にする「逃げていいんだよ」かと。あの無責任な言葉を吐いたのかと。けれど春帆はたしかに口にした。

——逃げてくるんだよ。

驚きのあまりまじまじと春帆を見てしまった。この人、すごいかも。関わろうとしてくれるのか。引き受けようとしてくれるのか。竜征も呆気に取られたような表情で春帆を眺めていた。

「じゃあ、またね」

春帆は手をひらひらとさせて帰っていった。その背中を見送ったあと公園の小道を竜征と並んでとぼとぼと歩いた。道は花壇のあいだを縫うように続いている。太陽がずるずると西の空へ落ちていく。もう少しでダム湖の堤防に差しかかる。

「この百円って電話ボックスからかけてこいって意味かな。おれ、公衆電話のかけ方なんてわからねえぞ」

半笑いで竜征が言ってくる。

「ぼくもわからないよ」

「そういうことちゃんと確認してから百円を渡してほしいよな」

竜征は小ばかにしたように言い、百円玉を親指で空へと弾いた。落ちてきた百円玉をキャッチし、「百円じゃ自販機でジュースも買えねえよ」と鼻で笑う。その言葉に返事をしないでうつむいて歩いた。すると竜征も黙った。いまふたりで話すべきことはそれではないと竜征もわかっているのだろう。ただ照れ隠しで文句を言っているだけで。

「春帆さんってすごいね」

ためらいつつ眠人から切り出した。竜征はよくぞ言ってくれたとばかりに猛烈にうなずく。

「うん、すげえよ。春帆ってすげえ」

親でもなく、先生でもなく、近所の大人やテレビでやさしげな言葉を並べている人たちでもなく、たまたま出会った高校生が逃げてこいと言ってくれた。それって奇跡的なことじゃないか。もちろん勢いで言った可能性もある。かっこつけただけかもしれない。たとえそうだったとしても、「逃げてくるんだよ」のひと言をくれたそのこと自体がうれしかった。

百円では缶ジュース一本も買えない。でもこの百円さえあれば人とつながれる。そのありがたさにひたりながら、ズボンのポケットの中で百円玉を握りしめた。ダム湖のほうからは涼やかな風が吹いてきていて、その心地よさに空を見上げたら濃いオレンジ色に染まりつつあった。

気持ちのいい今日の風をずっと覚えておこう。ふとそう思った。春帆が大きなやさしさを示してくれた今日という日に吹いていた風を覚えておこう。

これまで心の中はざわざわしたものでいっぱいだった。心の入れ物である自分の体ごと捨てたい衝動に襲われるときもあった。でも春帆のひと言で胸に巣食っていたざわざわが吹き飛ばされていた。

きっとこれは春帆という気持ちのいい風に出会えたからだ。竜征みたいに大袈裟で気取った言い方をするならば、人との出会いは風なんだ。出会って風が吹き、心持ちが変わる。

出会いは風。

無性に駆け出したくなって、竜征に向かって言った。

「競争な」

出し抜く形で眠人から走り出す。

「お、ずるいぞ」

慌てて追いかけてくる竜征を背中で感じながら、気づけば満面の笑みで走っていた。

三線のレッスンが再開された。以前と同じく春帆と会えたときに限ってのレッスンだ。しかしレッスンの時間は長くなった。最低でも一時間、長いときは二時間にも及び、春帆は真剣に教えてくれた。

うれしいこともあった。春帆が沖縄から三線をもう一丁宅配便で送ってもらい、それを譲ってくれたのだ。練習用に使っていたものらしく、だいぶ使いこまれていたけれど大感激でいただいた。実を言えばうれしくて少し泣いたし、夜眠るときでさえ手の届くところに置いておきたいくらいだった。

でも家に持って帰れば直彦に売られる可能性があった。春帆に事情を説明して、申し訳なかったけれどレッスンのたびに持ってきてもらった。

演奏曲のレパートリーはちょっとずつ増えていった。再び貸してもらった音楽プレイヤーに春帆が歌を吹きこみ、それを何回も聞いてレッスンに臨む。そのくり返しだ。『安里屋(あさと)ユンタ』や『赤田首里殿内(あかたすんどぅんち)』などの沖縄の人にはおなじみだという曲や、有名なポップスなどを習った。

「はいたい！　はーるーです。さて、今日もレッスンを始めましょう」

最近の春帆は、テレビの子供番組で見かける進行役のお姉さんみたいなノリでレッスンを開始する。「はいたい」は沖縄の軽い挨拶だそうで、「はーるー」は春帆自身の愛称らしい。

「いつかインターネットの動画で三線講座を開きたいんだよ。いまからその練習をしようと思ってさ」

ちなみに「はいたい」は女の人が言う挨拶で、男の人は「はいさい」と言うのだそうだ。一時期、竜征とのあいだで「はいさい」は流行(はや)った。

沖縄の言葉は「うちなーぐち」と呼ばれるという。そのうちなーぐちをレッスンの最中に教えてもらった。とてもとか大変にとかは「でーじ」、いらいらするは「わじわじー」、おじいちゃんは「おじい」でおばあちゃんは「おばあ」、太陽は「てぃーだ」、心は「くくる」、いらっしゃいませは「めんそーれ」、ありがとうございますは「にふぇーでーびる」だそうだ。

春帆は親しくなればなるほど、うちなーぐちを使うようになった。語尾も「さぁ」と上がった。眠人も竜征もついついそのしゃべり方に引っ張られ、同じようにしゃべってしまう。うちなーぐちのおおらかで温かな感じのせいだろう。ついついまねしたくなってしまうのだ。

レッスンが行われた日に春帆が宿題を見てくれることもあった。眠人と竜征のテストの点数の悪さに驚いた春帆が、勉強を見てやると言い出したのだ。またときどきは家に招いてくれて、昼ごはんをご馳走してくれた。春帆の伯父さんと伯母さんがいないときに限ってだけれど。サーターアンダギーを作って公園に持ってきてくれることもあった。揚げたては特においしくて、きな粉をまぶしたり、チョコレートをかけたりしたアレンジも大好きだった。

竜征が公園に来ない日は春帆とふたりきり。いろんなことを話した。たとえばパチンコばかりしている父について。母が亡くなっていることについて。やさしかった祖母について。竜征以外の友達がいないことについて。学校の図書室で本を借りるのが好きなことについて。自分よりも年齢の上の人とゆっくりと話し、親身になって聞いてもらう。こうした体験は初めてだった。

「学校は線を引く場所だからいやなんだ」

そう眠人が訴えたら、春帆は小首をかしげた。

「線を引く場所？」

「男子と女子のあいだとか、仲のいい人とそうじゃない人のあいだとか、イケてるやつとイケてないやつのあいだとか」

「それはあるね」

「線ってどんどん引かれてって、毎日のように新しくなって、そういうのに敏感じゃないと駄目って感じもいやなんだ」

「学校って線を引いてグループ分けしたがるところだからね。わたしなんて沖縄出身で言葉もイントネーションも違うし、見た目もみんなとちょっと違うから、しょっちゅう線を引かれる側だよ」

「ぼくも引かれる側。引かれて外側に出されちゃう。あいつはお母さんがいないやつ、家にお金がなくてゲームもケータイも持ってないやつ、勉強のできないやつって。でもさ、そういう線引きをするから、揉めたりけんかしたりするんじゃないかな。たぶん線を引くから戦争って起きるんだよ。国と国のあいだに線を引いたり、お金のある人とない人のあいだで線を引いたりするから」

「なるほどね」と春帆は真面目な顔でうなずいた。「眠人の言う通りかもしれないね。国が違うからって線を引いて、人種が違うからって線を引いて、信じてる神様が違うからって線を引いて、みんな分かれて争ってるわけだもんね」

「線は毎日増えてって、この世界を小刻みに分けてって、身の回りのどんなことにも引かれて、みんなをどんどんひとりにしていくんだよ。孤立ってやつ。で、みんな自分で引いた線で苦しんでる。それって悲しくて寂しいことだよ」

いままでぼんやりと考えていたことだけれど、春帆を相手に話してみると不思議とうまく言葉にできた。

「悲しくて寂しい、か。わたしは眠人みたいな見方でこの世界を見たことがなかったな。眠人って繊細だね。それでやさしい」

「やさしい？」

「わたしだったら線を引かれたその時点で憎んじゃう。ばか野郎って。でも眠人は違うわけでしょう。やさしいよ」

褒められ慣れていなくて、恥ずかしくなってうつむいた。

「でもね、眠人。世界がどんなに細かく線引きされても、たとえみんながばらばらに分断されても、わたしたちには音楽があるじゃないの」

「音楽？」

「わたしのおばあが言ってたよ。音楽には立場の違いを超えてどんな人にも届く力があるって。沖縄の歴史はね、線を引かれて外側に置かれることが多かったんだよ。おばあはそういう歴史を踏まえて言ったんだと思う」

「どんな人にも届く力」

小声で春帆の言葉を復唱してみた。心に響いた言葉だったから。

「それでね、誰の心にも届く音楽を、わたしも眠人も奏でることができるわけでしょう」

春帆は微笑みつつ、手にしていた自らの三線に視線を落とした。

「音楽」

いままで何度も耳にし、口にしてきた言葉だ。でも特別な意味を帯びて聞こえ、胸に響いた。音楽はこれからの自分の行き先を照らす光にもなる。そんなふうにも感じられた。

音楽というその言葉が特別に聞こえた日から、さらに熱心にレッスンを受けるようになった。いまにして思えば夢のような日々だったと言える。家や学校に居場所がなくても、公園に行けば尊敬できる春帆がいた。親しい竜征がいた。夢中になれる三線があった。年上の人が苦手だったのに、春帆と軽口を叩けるまでになった。気づけばクラスメイトに自らの考えを述べたり、弱音を吐いたりもできるようになっていた。

「眠人は変わったね」

十二月にやってきた春帆との別れの日、彼女はそう言って頭を撫でてくれた。春帆は沖縄に帰り、地元の高校に転入するのだという。すでに何回か沖縄に戻っていて、転入試験も受けていた。

「わたしさ、おばあみたいな三線の先生になりたいんだよ」

沖縄に戻ることを初めて報告してきたときの春帆は晴れ晴れとしていた。出会ってから見たなかで一番いい笑顔をしていた。引き止めるような言葉は口にできなかった。

春帆とは公園の正門で別れた。そのとき百円玉を何枚も渡された。逃げてくるんだよ、なんて言っておきながらごめんね、と申し訳なさそうに頭を下げつつ。

「もうぼくたちは大丈夫だよ」

にっと笑って眠人は百円玉を受け取った。竜征は強くうなずいていた。本当にもう大丈夫だと思ったのだ。春帆と三線に出会えたいまの自分ならば。

そして春帆と別れた日をもって、大人絶望クラブを解散した。竜征とダム湖の堤防の上に延びる遊歩道を歩いていて、解散しようと意見が一致した。竜征が夕日で赤く染まるダム湖に向かって解散宣言を叫んだ。

「本日、十二月二十三日をもちまして大人絶望クラブは解散いたします！　いままでありがとうございました！」

解散の理由はこうだ。

春帆はきっとかっこいい大人になる。大人に期待してもいいはずだ。まだまだ大人に希望は抱ける。


春帆が東京を去ってからも毎日公園で三線を弾いた。習った曲を反復して練習し、よりよいものに仕上げていく。太陽が沈み、夜が訪れ、誰も公園内を通らなくなっても、ひとりで弾き続けた。

人っ子ひとりいない静まり返った公園で弾くと、音が遮られずにどこまでも響いていくようでいい。無音の中、三線の音だけがくっきりと存在するのだ。

誰もいなくても寂しさはない。こうして夢中で練習しているときが一番幸せだ。没頭していると、直彦のことも家にお金がないことも将来のこともみんな忘れていられた。

「おまえもかわいそうだなあ」

ひとりで練習しているときはよく三線に語りかけた。沖縄から遠く離れ、こんな寒い状況で弾かれるなんて、三線も予想していなかっただろう。

雨の日も風の日も三線を弾いた。毎日弾いていたら、夜の公園はなんにも代わり映えがしないようでいて、実はちょっとした変化が訪れていることに気づいた。

たとえば、ときおり猫がやってくる。我が物顔で舗装された道を歩いていく。狸もやってくる。ハクビシンも見かけたし、アライグマも見た。アライグマは夜の暗さの中だと狸と見分けがつかない。でもアライグマは立ち上がり、パークセンターの金網をよじのぼっていった。狸にはできない芸当でアライグマとわかった。公園にアライグマを捨てる人がいるらしい。「アライグマを放獣しないでください」と看板があった。

見上げたらフクロウと目が合ったこともある。トラツグミは姿を見せないがよく鳴いている。「ヒィー、ヒィー」とか「ヒョー、ヒョー」とか、口笛のようなあるいはブランコの揺れる音みたいな声で鳴く。妖怪の鵺(ぬえ)の鳴き声とされたものだと図書館で借りた本で知った。ゴイサギが「ギィアー、ギィアー」と騒ぐ夜もある。

夜にひとりでいることでよくわかった。夜の世界の主役は人間ではない。人間である自分は夜の静けさの国へお邪魔しているだけ。だからなるたけいい音を奏で、夜の一員になりたいと思っている。

公園から引き揚げるときは、三線を春帆からもらったケースにしまう。ケースはいままで相当ぶつけてきたらしく、へこみまくってぼろぼろだ。でも三線を裸で持ち歩くよりはいい。ケースに鍵がついていて安心だし、秘密の武器を隠しているみたいでかっこいい。

三線を初めて家に持ち帰った日は緊張した。直彦の反応がこわかったからだ。

「知り合いの人に楽器をもらったんだ」

酔って目がとろんとしている直彦に三線ケースを見せた。「なんの楽器?」といった質問を想定していたのに、返ってきた答えは「ふうん」だけだった。

直彦が売り飛ばしたら困る。だから最初は学校に持っていっていた。けれど直彦が興味を示していないようなので、いまは家に置いて登校している。学校が終わったらダッシュで家に帰り、三線があるか確認するのが日課となっている。

一月が終わる冷えこんだ日の夜のことだ。

「八時十分。おれ、そろそろ帰るよ」

竜征が東屋のベンチから立ち上がる。ほぼ毎日のように眠人の練習につき合ってくれていて、晩ごはんの時間となると帰っていく。

東屋のそばには高いポールに設置された時計があり、東屋からちょうど見えた。時計のすぐ下にはデジタル表示の温度計があり、四・六度と出ている。そばにダム湖があるせいでこの公園の気温は街中よりも低い。指がかじかんでよく動かないので、尻の下に敷いて温めては弾くをくり返した。

「まじで寒いな」

そう嘆く竜征の吐く息は白かった。

「またね」

手を振って見送ろうとしたら、竜征が東屋の外を見て固まった。

「なんだ、あれ」

暗い公園の敷地をいくつかの人影が東屋に向かってきていた。街路灯の白い光がやってきた人たちの顔を暗がりから浮き上がらせる。あの子また来てるわよ、と眠人を見かけるたびにひそひそ話をしていたお母さんたちだった。

近づいてきて四人いるとわかる。たぶんみんな眠人の通う小学校に子供を通わせている母親たちだ。そのうちのひとりである小太りの女性が、眠人と竜征のもとまでのしのしとやってくる。携帯電話を握りしめていて、怒りの形相を浮かべていた。

「君たち、いつも夜遅くまで子供だけでこんなところにいていいと思ってるの？　あ、嘘をついて逃げようとしても無駄だからね。君たちの写真はケータイで撮ってるから。毎日撮ってあって日付もわかるんだから。証拠があるんだからね！」

あまりにすごい剣幕で息が止まった。驚いて動けないでいると、小太りのおばさんが続ける。

「学校から七時帰宅って言われてるでしょう。なのにそっちの楽器を弾いてる君、いつも八時過ぎまでここにいるわよね。遅いときは九時くらいまでいるって聞いてるよ。そんなことをしていいと思ってるの？」

小太りおばさんの矛先が眠人に向けられた。ほかのおばさんたちの視線も眠人に集まる。みんな威嚇の目をしていた。

「いいとは思ってません。すみませんでした」

ほとんど反射的に眠人は謝っていた。いつか誰かに叱られるかもと心配はしていた。でもまさか携帯電話のカメラで撮影されていたなんて。それって盗撮にならないのだろうか。

「夜な夜な遅くまで公園でぶらぶらしてるなんて不良のすることだからね。この地域の治安だって悪くなるし、まねして家に帰らない子だって出てくるわけなんだから。わたしたち母親としては心配なの。ほら、言ってやりなさいよ」

小太りのおばさんが振り向くと、銀ぶち眼鏡をかけたおばさんが進み出てきて眠人を睨みつけた。

「うちの息子はまだ三年生なんだけど、夜七時を過ぎても帰ってこない日が続いたの。どうして帰ってこないのかって聞いたら、公園にはもっと遅くまでひとりで遊んでる五年生がいるって言うじゃないの。つまり君たちは悪い見本になってるってわけ」

「関係ねえだろ！」

竜征が唐突に叫んだ。

「ま、なんて口の利き方」

おばさんたちの目が怒りの三角形になる。いっせいにしゃべり出した。

「家でどんなしつけをされてるのかしら」

「親の顔が見てみたいわ」

「学校にも問いつめなくちゃ。問題児を放っておくなんてどういうことですかって」

そうしたなかに耳に引っかかる言葉があった。

「楽器を弾いてる子のお父さん、ろくに働いてなくていつもパチンコ行ってるそうじゃない」

直彦のことだ。眠人の額にじっとりとした汗が浮かぶ。竜征が食ってかかった。

「おい、おばさん。なんで親の話を持ち出すんだよ」

おばさんたちがいっせいに反撃に出る。

「なんなのあの子」

「あの子のうちのお母さんもちょっとあれだって」

「ああ、噂の」

今度は竜征の母親のことを話しているようだった。

夜遅くまで公園にいるのはよくないことだ。それは眠人も承知していた。おばさんたちの言っていることは正しい。けれど頭ごなしに怒らなくてもいいじゃないか。正しい人間にはブチ切れる権利があるとでもいうのだろうか。

親の話を持ち出すのもなんか違う気がした。たしかに直彦は世の中一般の父親と比較して正しいとは言えない。竜征の母も正しい側ではない。でもきちんとしていない家族がいる人間は、そのことまで反省しろと責められているみたいだ。申し訳なさを感じろ、という圧力をぎゅうぎゅうと感じる。正しさで頭をぶっ叩いてくる。

「とにかくふたりとも帰りなさい」

小太りのおばさんが腕組みをして仁王立ちになった。竜征が負けじと言い返す。

「知らないね。おばさんたちに指図される覚えはないね」

抗議の意思を表すためか、竜征は荒々しくどかりとベンチに腰を下ろした。

「そんな態度を取るなら学校に連絡するよ」

「どうぞ、どうぞ」

「親にも連絡が行くってことだからね」

「別にかまわねえよ。だっておれたち悪くないもん。その眼鏡のおばさんの子供が家に帰らないのだって、まねをして勝手に遊び歩いてるおばさんちの子が悪いんじゃん。おれたちのせいにするなって。おれも眠人も、人の悪いところは絶対にまねしないぜ。しつけがなっていないんじゃないの?」

にやりと竜征は笑ってみせた。

「憎たらしい子!」

銀ぶち眼鏡のおばさんがわなわなと体を震わせる。

「おれはともかく、眠人は三線の練習をしたくて公園にいるんだし、家に帰れない理由があるんだ。家に帰らないで遊びたがってる三年生のガキとはいっしょにしてほしくないね」

「いいかげんにしなさい！　あなたたちもう帰りなさい！」

金切り声を上げながら銀ぶち眼鏡のおばさんが竜征に近づく。腕をつかみ、強引に立たせようとした。それを見た小太りのおばさんが、眠人に近づいてきて手首をつかんだ。

あ、やばい。

直彦に首を絞められたときのことが一瞬にしてよみがえった。おばさんの太い指が肌に食いこみ、手のひらの不快な温かさが伝わってくる。ぞっとして鳥肌が首筋あたりまでいっきに立ち、おばさんの手を振り払った。

「きゃあ」

小太りのおばさんが短く叫んであとずさる。下がったさきにベンチがあり、膝の裏をぶつけたおばさんは盛大な音を立てて仰向け（あおむ）けにひっくり返った。今度はほかのおばさんたちから「きゃあ」という声が上がる。

「大丈夫？　大変！」

助け起こされた小太りのおばさんはコンクリートに後頭部を打ちつけたのか、目は開けているもののぼうっとしている。銀ぶち眼鏡のおばさんが血相を変えて、「警察よ。警察に連絡して！」と騒ぎ立てた。

五分もしないうちに二台のパトカーがサイレンを鳴らしてやってきた。正門前で停まり、続けてもう一台やってくる。

パトカーってこんなにすぐやってくるんだ。予想外の展開と回転するパトランプの赤い光にどぎまぎして、頭がぼんやりしてしまった。警察官がふたり駆けてきた。野次馬が見る見るうちに東屋の周囲に集まった。ジョギングや散歩をしていた人たちや、近隣の住人だろう。そうしたなかに沢見さんの姿があった。春帆の家の隣に住むすぐに苦情を言ってくるという白髪のおばあちゃん。

「そっちの子が突き飛ばしたのよ」

銀ぶち眼鏡のおばさんが警察官に訴えている。違う、違う、突き飛ばしたりしていない。手を振り払っただけだ。そう反論したいのに、みぞおちをぐっと押しつけられたようになって声が出ない。銀ぶち眼鏡のおばさんがさらに訴える。

「この子たち、いつも夜遅くまで公園にたむろしてて、わたしたちが注意したら逆ギレして乱暴してきて」

「おれたち乱暴なんてしていません。さきにおれと眠人の腕をつかんできたのは、このおばさんたちでしたよ」

竜征が抗議の声を上げた。大人に囲まれたこの状況で、冷静に警察官に説明できるなんて本当にすごい。

「どっちがさきかなんて覚えてないわよ！　でも突き飛ばさなければ倒れたりするわけないでしょうが」

銀ぶち眼鏡のおばさんの声が一段と高くなる。しかし竜征は顔色ひとつ変えなかった。

「眠人はつかまれた腕を放してもらおうとしただけですよ。眠人、そうだよな？」

うなずこうとしたら「ちょっとごめんね」と声がした。なぜか関係ないはずの沢見さんが割って入ってきた。

「坊主たち、うちのお隣の鈴木さんちにいつも出入りしてた子たちだろう。隣んちの女子高生にくっついてきて昼間からなにしてたか知らないけど、気持ちの悪い子たちだよ」

「え」

沢見さんはいったいなにを言い出すのだろう。悲しさと怒りが一度に沸き起こり、頭に空白が生まれた。

春帆は自分と竜征においしいものを作ってくれた。いっしょにゲームをしたり、漫画を読ませてくれたりした。なにより素晴らしい三線の先生だった。そうした事実を知りもしないくせに、なんで悪い関係とアピールするのだろう。春帆を悪者扱いするのだろう。これは春帆に対する侮辱だ。

沢見さんに文句を言おうと思ったら、それよりもさきに竜征が声を荒らげた。

「おい、ばばあ。謝れ」

「こら、君。そんなひどい口を利いちゃいけないよ」

警察官のひとりが竜征の前に立ちはだかり、もうひとりは無線で連絡を取り始めた。

「だってあのばあさんが変な言いがかりをつけてくるから」

「言いがかりじゃないわよ」と沢見さんも譲らない。「沖縄から来た変な女子高生だと思ってたけど、小学生に手を出すなんてね」

野次馬がざわつく。銀ぶち眼鏡のおばさんが吐き捨てるように言った。

「ほんと気持ち悪い」

テレビのニュースを見ていると、大人の男の人が小学生や中学生の女子を家に連れこんで逮捕される事件が流れる。ああしたことを春帆がやっていたと思われているみたいだ。冗談じゃない。こわかったけれど踏ん張って訴えた。

「ぼくは三線を教わっていただけです。春帆さんは師匠なんです。変な女子高生なんかじゃありません」

「三線？」と警察官が興味を示す。竜征が「そうだ、そうだ、眠人。言ってやれ」と加勢してくれる。

「ぼくは沖縄の楽器を教わっていたんです」

ベンチに置いてあった三線を取ってきて見せた。銀ぶち眼鏡のおばさんが嘲笑うように言う。

「結局、遊んでただけじゃないの」

「眠人の三線は遊びじゃないぞ。眠人、みんなに聞かせてやれ。春帆から本気で習ってたんだって弾いて証明してやれ」

「あんたたちなに言ってんの。いまの状況わかってる？　その三線ってやつを夜にここで弾いてたのがそもそもの問題だったんじゃない。悪いことしてたって自覚がまるでないじゃないの」

銀ぶち眼鏡のおばさんがいきり立つ。「まあまあ」と警察官がなだめてくれた。

眠人はぐるりと見回した。薄暗い中、野次馬を合わせて二十人あまりの人がいて、すべての視線が眠人に注がれていた。好意的な視線はゼロだ。きっとみんな眠人と竜征を悪い子供と思っている。

また線が引かれていた。線の向こうは正しくて、こっちは悪い。

でもどうしてこっち側の事情を聞いてくれないのか。こっち側の本当を知ろうとしないのだろう。

外で三線を弾いていたのは家では無理だからだ。春帆は変な女子高生などではなく、やさしくて尊敬できる人だ。おばさんたちは親の教育が悪いなんて思っているようだけれど、親に関してはこっちだって被害者なのだ。

事実や事情を知ろうともせず、交わされていた本当の言葉たちに耳を澄まそうともせず、勝手に線を引いて正しさで殴りかかってくる。

殴られる人間にだって心があるのに。

春帆に教わったうちなーぐちで言えば、くくるがあるのに。

立ったまま三線を構えた。「おいおい」と警察官が困惑の声を上げるのが聞こえた。野次馬たちが携帯電話を構える。写真を撮るつもりなのだろう。銀ぶち眼鏡のおばさんが目を吊り上げて喚いている。小太りのおばさんはほかのおばさんやあとから来た警察官に介抱され、落ち着いてきたようで申し訳なさそうにお辞儀をしていた。笑みも見える。よかった、大きな怪我はしていないらしい。

小さく息を吸って、『てぃんさぐぬ花』の前奏を弾いた。びびって指が震えそうになる。視線が肌にざくざくと突き刺さる。でも一音ずつ丁寧に奏でていく。

沖縄へ帰ることを決心した春帆が、ふたりきりのときに打ち明けてくれた言葉がよみがえった。

「わたしはね、一歩前に進むことが大切だって眠人から教わったんだよ。わたしが何度断っても眠人は三線を教えてくださいって粘ったでしょう。その一歩進もうとする力が、自分を新しく変えていくんだよね。そのことを教えてくれた眠人には感謝してるんだ」

　春帆は続けて言っていた。地下アイドルをやっていたときの自分には前に踏み出そうとする力がなかった、と。メジャーのアイドルになるための一歩目を頑張れなかった、と。でも三線の先生という新たな目標のために、一歩目を踏み出そうと決心したのだそうだ。沖縄に帰るのは高校二年生が終わってからでもよかったはずなのに、居ても立ってもいられなくなって学年の途中で帰った。それほどまでに新たな一歩に燃えていた。たった一歩を踏み出せるかどうか。逃げ出さず、一歩だけ前へ。その大切な行為を三線との出会いのなかで、自分は知らず知らずのうちにしていたのだろう。感謝しなければいけないのはこっちのほうだ。

　前奏が終わり、歌が始まる。『てぃんさぐぬ花』は作詞者も作曲者も不明でいろいろなバリエーションがある。歌詞は十番まであって様々な教訓を歌っている。一番から三番までは親にまつわる教訓だ。春帆から初めて歌詞の説明を受けたときはぴんとこなかった。直彦からほっとかれて育ったせいかもしれない。

　しかし春帆が師匠になってくれて、相談やたわいない会話を交わすようになってから、歌詞を理解できるようになった。春帆という年上のありがたい存在のおかげで、親の大切さやつながりの深さを想像できるようになったからだと思う。

　そして銀ぶち眼鏡のおばさんが激怒するのも、いまの自分なら理解できた。子供のために親は本気で心配したり怒ったりするものなのだ。それはやっぱりうらやましいことだった。

歌うあいだ、様々な感情が心の表面に現れては消えていく。うらやましさ、春帆が沖縄へ帰った寂しさ、彼女がたくさん話を聞いてくれたことへの感謝。それらが歌に彩りを添えていく。

次第に場の空気が和んでいくのがわかった。歌えば歌うほど、向けられている視線がやわらかくなっていく。好奇心全開というふうに見ていた人たちも、楽しげな表情へ変わっていく。三線のやわらかい音色と、語りかけるようなやさしい曲調が、みんなを変えていく。

曲は歌う本人の心も救ってくれるようだ。楽器を通して生み出したリズムとメロディーが、自分の心を励まし、背中を押していた。不思議なことに視界が広がる感覚がある。耳を傾けている人たちひとりひとりの顔がよく見える。ぐぐっとみんなが前のめりになってきている。音楽には人を引き寄せる力があるのだと知った。

六番まで歌った。春帆が好きだと言っていた六番。歌詞はこうだ。

「なしばなんぐとぅん　なゆるくとぅやしが　なさぬゆいからどぅ　ならぬさだみ」

なにごとも為せば成るものだけれど、為さないせいで成らないのだ。

「行動あるのみさぁ」

太陽のようにまぶしい笑顔で、まさに沖縄というふうに語尾を上げて言っていた春帆の姿が思い出される。今後この曲を歌うたびに春帆との日々が心に浮かぶのだろう。

そんなことを考えていたら、歌い終えてしまった。竜征が盛大な拍手をしてくれる。ジャンプしながら頭の上で手を叩いていた。つられるようにして拍手がまばらに起こり、ゆっくりと広がっていった。

「あ」

驚いて声がもれる。小太りのおばさんが手を叩いているのだ。不良だから夜遅くまで公園にいたわけではないと、真面目に三線に取り組んでいたのだと、わかってくれたのかもしれない。銀ぶち眼鏡のおばさんは拍手をしていなかったけれど、もう睨んではこなかった。

「君たち、話を聞きたいんだけど」と警察官に東屋の隅へ連れていかれた。警察官から質問なんてまずい状況なのに、竜征は気にも留めずに感想を伝えてくる。

「かっこよかったぜ、眠人」

警察官に気づかれないようにVサインを作って応える。

「春帆の沖縄っぽい歌い方もよかったけど眠人の歌もいいね。まっすぐって感じがするよ」

「ぼくの場合、民謡の歌い方ができないだけだよ」

「それがいいんだよ。ガキがあんまりうまいと鼻につく大人もいるからさ」

わはは、と竜征は声を上げて笑った。

「最初、みんな眠人のことをなんだこの子って顔で見てたくせに、だんだん惹(ひ)きつけられていくのが痛快だったなあ。ほら見たか、遊びじゃないんだぞって、最高の気分だったぜ」

「聞いてる人たちの感じが変わったの、ぼくもわかったよ」

「おれは見えたよ。眠人が聞いてる人たちの心に虹をかけるのが」

また出たよ、竜征のおかしな言い回しが。そう突っこんでやりたかったけれどやめた。今日はそうした言い回しがとてもうれしかったから。

音楽には立場の違いを超えてどんな人にも届く力がある。

春帆のおばあちゃんが語っていたという言葉だ。

自分は本当に虹をかけられただろうか。聞く人ひとりひとりの心に届く力を、音に宿せただろうか。

なりたい将来の姿がうっすらと浮かび上がってきた。ひとりひとりの心に届くなにかをする人になりたい。届けられる人間になりたい。

虹をかけるのだ。引かれた線の向こう側へ。たとえ世界がどれだけ分断されようとも。

第二章

また泣いてるよ。教室に男子の声が響く。

「竜征、おまえが泣かしたんだろ」

田中がにやにや顔で竜征に言い放つ。

「おれじゃねえよ」

「おまえ、うちのクラスのさくら子を泣かすなよな」

「だからおれじゃねえって。だよな、眠人」

大きくうなずく。泣いていると指摘されたさくら子も、竜征のせいじゃないと訴えたいようだけれど、クラスメイトのみんなに向かって発言するなんて彼女には到底無理だろう。

五時間目が始まるチャイムが鳴った。隣の三組からやってきていた竜征は「打ち合わせの続きは今度またな」と教室を出ていった。

「大丈夫？」

窓際に立ち尽くすさくら子に眠人は声をかけた。遠山さくら子。恥ずかしがり屋で引っこみ思案で緊張しいで、人前で話すことがなによりも苦手な子。

「だ、だ、大丈夫」

答えるさくら子の瞳は涙で覆われている。人によって涙はさらさらしていたりねっとりしていたりするのだろうか。そんなことを考えてしまうくらい、さくら子はいつも瞳に涙をたっぷりと溜める。涙はなかなかこぼれず、透明な膜のようになって瞳に留まる。

「さくら子、どうしたの」

女子たちがそばに寄ってきたとき、小倉先生が入ってきた。第六中学校に赴任して一年目の若い男性の教師で、この二組の担任でもある。小倉先生も泣いているさくら子に気がついた。

「どうした遠山。なんかあったか」

さくら子はうつむき、首を横に振った。背中を丸めて自分の席へ向かっていく。席は眠人の一列はさんだ隣だ。長い髪を揺らしながら、ふらふらと歩いていって着席した。

「そういや遠山、例の件どうなった。話はまとまったか。浅倉と三組の星野といっしょにやるやつ」

小倉先生の言葉にさくら子がびくんと体を震わせる。胸に手を当ててうつむいた。さくら子は頑張って発言しようとするとき、胸に手を当てる癖がある。

クラス全員が耳を澄まし、さくら子の返事を待った。しかしいくら待っても声は発せられない。いたたまれない空気が教室に流れ始める。代わりに眠人が答えた。

「遠山さんといっしょに『じんじん』という沖縄の童歌をやろうと思います。ぼくが三線を弾いて、遠山さんは三味線を弾いて。そのあと遠山さんが箏の曲をやる流れです」

「なるほどな。クリス先生も楽しみにしてるから頼むよ」

　クリス先生はカナダから来ている英語教師だ。アニメと日本の文化が大好きで、特に四文字熟語と慣用句を愛していて、それらが書かれたTシャツを愛用している。この前は「諸行無常」と書かれたものを着ていて、その前は「仏の顔も三度まで」だった。

「クリス先生、そのTシャツどこで売ってるんですか」

生徒はそうしたおかしなTシャツに触れずにいられない。クリス先生はそこから会話を膨らます。「君たちこれを英語で言ったらなんて言うかわかる?」なんて。

　そのクリス先生が一学期の途中なのに帰国する。理由はプライベートなことらしい。女子のあいだでは、婚約者の彼女が結婚を待ちきれなくて、急遽カナダに帰ることになったといった噂が流れている。本当のところはわからない。

　クリス先生は日本食も愛していて、さくら子の両親が営む蕎麦屋に通っている。青梅街道沿いにある古民家を改築した蕎麦懐石の店、遠山だ。高級店であるうえに予約制なので、行ったと話す同級生に会ったことがない。クリス先生もお給料が出たときだけ、わざわざ遠くから友達を呼んで行くのだそうだ。

さくら子は遠山で手伝いをしている。クリス先生とは何度か顔を合わせているらしく、それで仲がよくなったらしい。クリス先生はさくら子が引っ込み思案であることをわかったうえでいつも気にかけていたし、さくら子は担任の小倉先生よりもクリス先生に対して心を開いているように見えた。

クリス先生とさくら子の仲のよさは、クラスメイトの誰もが知っている。だから三週間後に行われるクリス先生のお別れ会で、さくら子がなにか演奏したらいいんじゃないかという話になったのだ。学級会で男子生徒が提案したせいで。

「さくら子って小学生のころから箏と三味線を習ってるだろう。だったら日本文化が大好きなクリス先生のお別れ会に演奏をプレゼントしたらいいじゃん」

唐突に名前を出されたさくら子は、声を詰まらせておろおろしていた。なにか返事をしなくてはと焦っているようだったけれど、涙のほうがさきに出てきた。それを見かねた小倉先生が眠人に頼んできたのだ。

「なあ、浅倉。遠山といっしょになんか弾いてやってくれよ。コラボレーションってやつ。遠山も誰かといっしょなら心強いだろうからさ」

あの日、さくら子はいいとも悪いとも答えず、眠人が「別にいいですけど」と応じたことで決定事項になった。もともと眠人もお別れ会で三線を弾く予定だった。クリス先生が眠人のことを沖縄ボーイと呼んでかわいがってくれていたから。

お別れ会は体育館で催される予定だ。出し物は壇上で披露するらしい。選曲はわけあって『じんじん』にした。それで竜征が二組までやってきて打ち合わせをしていたというわけだ。さくら子とふたりきりだと先行きが不安なので竜征を巻きこんだ。

五時間目の授業は地理で、社会科教師である担任の小倉先生が教えてくれる。今日は世界の気候について。給食後の授業なので眠たくてしかたがない。まぶたの重さに耐えながら窓の外へ目をやると、どんよりとした六月の空が広がっていた。教室内は蒸し暑い。肌が汗ばみ、自分の肌ながらべたべたとして触れたくもない。

「今日はここまで」

小倉先生の声で我に返り、なんとか授業を耐え抜いたことに気づく。脱力して机に突っ伏すと、さくら子を心配する小倉先生の声が聞こえてきた。

「遠山はさ、浅倉と三組の星野といっしょでやりにくいことはないか？　厄介なこととかあったら遠慮せずに先生に言うんだぞ」

「先生、やさしい」と田中が茶々を入れる。女子の声が続いた。

「先生はさくら子を贔屓してるからね」

「いやいや、先生は贔屓なんかしてないぞ。遠山を心配してるだけだぞ。だって浅倉と星野とトリオを組むんだぞ。心配に決まってるじゃないか。朱に交われば赤くなるって言うだろう。遠山は肌が白いから、すぐ真っ赤に染まりそうじゃないか」

教室内に突発的な笑いが巻き起こる。「言えてる」とか「そのままのさくら子でいてくれ」なんて声も聞こえた。

実際のところ贔屓という指摘は的を射ている。というよりこの二組の誰もがさくら子を大切にしていた。みんなすぐにさくら子をかばう。ただ小倉先生は贔屓と言われてばつが悪かったのだろう。眠人と竜征の名前を出して話をそらそうとした。標的を差し出して自分は逃げたってわけだ。

学校は寄ってたかっての場所だ。「いいなあ、いいなあ」と寄ってたかって人をうらやみ、寄ってたかって「ばかじゃねえの」と嘲笑い、「そういうのよくないと思います」と寄ってたかって攻撃する。それは先生に対しても同じであって、最近覚えた難しい言葉を使えば多勢に無勢では先生でもどうにもできないわけで、竜征や自分を生贄(いけにえ)に差し出して逃げるしかなかったのだろう。でもそれって教師としてセコい気がする。

「眠人、さくら子に変なこと教えるなよ」

田中があっさりと小倉先生の作戦に引っかかり、眠人を指差して冷ややかに言う。クラス中の視線が眠人に集まった。こちらを窺うさくら子の視線もあった。眠人と目が合うと、さっとそらした。

小倉先生は「朱に交われば赤くなる」を、悪い人と交われば影響を受けて悪くなるという意味で使った。竜征や自分を悪い生徒という前提で話した。そのことをさくら子が否定してくれてもいいのに。せっかくお別れ会でいっしょに演奏するのだから。これから仲間になるのだから。

さくら子はうつむいたまま固まっていた。一列はさんだ眠人の席からでも、さくら子の瞳に涙が溜まっているのを確認できた。すごい表面張力だ。なんて感心していたら、ぽろっと涙の玉がこぼれてスカートに吸いこまれた。

まあ、無理だろうな。小倉先生やクラスメイト全員の前で、さくら子が人をかばう発言をできるとは思えない。

教室内には眠人がなにか答えないと収まらないような空気が漂っている。しかたがない。とぼけたふりで田中に尋ねた。

「変なことを教えるってたとえばどんなことさ」

田中がにやつきながら返してくる。

「おまわりさん関連だけは教えないでくれよな」

どっと笑いが起こった。小倉先生は苦笑いを浮かべるばかりで、田中をたしなめようとしない。「それって言いすぎ」と田中を非難する声もある。でも眠人への悪口に加担していないことを表明するためだけの言葉に聞こえた。

こういうとき黙ってはいけない。愛想笑いを浮かべて逃げてもいけない。言葉で殴られた分を、言葉で殴り返してやりたいところだけれど、いい方法とは言えない。

なにか言い返すなら、突拍子もない言葉がいい。加えてちょっと刺激的なほうがいい。否定や弁解は寄ってたかってを生むから、肯定寄りの発言がいい。またとぼけた感じで言ってみる。

「残念だなあ。ぼくがおまわりさんについて教えてやることで、さくら子が警察官になる未来だってあったかもしれないのに。制服が似合ったと思うけどなあ」

クラスメイトが即座に反応する。「さくら子の警官の姿、見てみてぇ！」と男子が騒ぎ、「スタイルいいから制服似合いそう」と女子が賛同し、田中なんて「さくら子、敬礼してみて！」とばかみたいなことを言っている。蜂の巣を突(つつ)いたかのような騒ぎだ。

みんないとも簡単に人の発言に流される。そして予想した通り、突拍子もなくてちょっと刺激的な発言のほうが、化学変化を起こさせやすい。おかげでそれまでどんなことが話されていたかなんて、みんなきれいさっぱり忘れてしまっている。クラスメイトの視線はすべてさくら子に注がれ、もはや眠人を見ている人は誰もいない。

ほっと息をついた。警察に関するいじりはうんざりだ。でも自分で撒(ま)いた種だからしかたがない。小学校五年生で竜征といっしょに警察にお世話になったけれど、中学校一年生だった去年も警察沙汰となってしまった。おかげで田中のやつは前科二犯といじってくる。鬱陶しくてしょうがない。

去年の件は悪いとは思っていない。反省もしてない。でも後悔はしている。もっといいやり方があったんじゃないかって。

ぞろぞろと公園の東屋へ歩いていく。先頭は竜征で眠人が続く。少し遅れてさくら子がついてくる。初練習を公園でやることをさくら子に告げたら、驚いて目を丸くしていた。人目のある外で楽器を弾くなんて、恥ずかしがり屋のさくら子にはハードルが高かったらしい。

「じゃあ、校庭の隅っこでやろうか。体育館の裏でもいいぜ」

竜征が提案したら、さくら子はぶんぶんと首を横に振った。それこそ放課後の部活動に参加している生徒たちが集まってきて注目を浴びてしまう。注目はさくら子の最も苦手としていることだ。

東屋のベンチにそれぞれ座り、楽器の用意をした。さくら子が持ってきた三味線を見せてもらう。眠人がいつも弾いている三線よりもひと回り大きい。胴に張られた皮は蛇ではなくて白い皮だ。

「これやっぱり猫の皮なのか」と竜征が食いつく。

「こ、これは合成の皮。本物の皮は高くて、わたしは合皮のものしか使ったことなくて」

「ちょっと弾いてみてくれよ」

竜征とさくら子が初めて話したのはつい先日のこと。なのに竜征はまったく遠慮がない。さくら子が面食らっているのがわかる。あたふたと演奏の準備を始めた。調絃方法は三線といっしょのようだ。

「そのウマはなにでできてるの」

脇から眠人が尋ねると、さくら子はおどおどしつつ尋ね返してきた。

「う、うま？」

「胴の上で絃を支えるやつ」

「こ、駒のことだね。これは鼈甲(べっこう)。亀の甲羅だよ」

「駒って言うんだ。亀の甲羅って珍しいね。三線は竹でできたものを使うんだよ。ウマも水牛の角とかいろんな素材があるみたいだけど、竹が多いんじゃないかな」

会話の最中、さくら子は眠人の視線から逃げるように横を向いたままだった。眠人を要注意人物と思っているからだろう。学校のみんなと同じように。

去年、警察に捕まった。学校から家に帰ったら三線のケースが消えていて、直彦もいなかった。すぐさま部屋の隅のゴミ袋を漁った。予想通り、丸められた領収書が出てきた。隣の市にあるトレジャーオフというチェーン展開しているリサイクルショップのものだった。以前、金に困った直彦が母の遺品である洋服や鞄(かばん)などをトレジャーオフに大量に売った。そのときも領収証をもらっていたのだ。しわくちゃの領収書によれば三線は七千円で売られていた。

人の大切なものを勝手に売りやがって。

頭に血がのぼり、そのあとのことはよく覚えていない。息も継がずに猛烈な勢いで自転車を漕いでトレジャーオフへ行き、血眼で三線を捜した。三線はギターやキーボードなどの楽器コーナーに陳列され、ケースとともに並べられていた。

三線をケースにしまい、引っつかんで店を出た。店員が追ってきて呼び止められた。三線は自分のものです。売った覚えはありません。勝手に売られたんです。そういったことを叫ぶようにして訴え、自転車に乗って帰った。その途中、パトカーがやってきて捕まった。

派出所へ連れていかれ、直彦が呼ばれ、店側と話し合って三線は買い戻すことになった。直彦はいくら家族のものとはいえ、勝手に三線を売った。これは窃盗罪に当たるそうなのだけれど処罰なしとなり、眠人は三線が売られた経緯を考慮され、厳重注意を受けただけで幕引きとなった。

問題は、眠人が警察官に捕まる瞬間を、同じ中学校の生徒に見られていたことだ。学校では警察に捕まったやつ、しかも二度目といったレッテルがついて回り、先生たちからも要注意人物と目をつけられた。

「眠人は悪くないんだぜ。眠人の父ちゃんが悪いんだぜ」

当時、竜征がしきりにアピールしてくれた。でも警察に捕まったという強烈なイメージは拭えなくて、おかげで今年担任になった小倉先生にまで、朱に交われば赤くなるなんて言われる始末だ。

三味線の調絃が終わったみたいだ。さくら子は三味線を構え、右手でバチを握った。三線のバチは角のような形をしていて指にはめるタイプ。一方で三味線のバチはしゃもじのように大きくて、もんじゃ焼きのヘラのような形をしていた。握る柄の部分は白で、絃に触れる箇所はこれまた鼈甲のようだ。

どんな音がするのだろう。わくわくしながら待つ。隣の竜征も興味津々だ。しかしさくら子は構えたまま動かなくなってしまった。次第にその表情が曇っていく。

「どうしたんだよ」

竜征が尋ねる。さくら子は蚊の鳴くような声で答えた。

「じ、実は人前で弾くの苦手で」

「小さいころから習ってたんじゃねえの？　眠人からそう聞いたけど」

「い、一応、小一から習ってるけど、人前で弾く機会はあまりなくて」

「まじで？　でも習ってるなら発表会とか演奏会とかあるじゃん」

「そ、そういうのは一年に一回だけで、しかもわたしちゃんと最後まで弾けたことなくて。いつも緊張して弾けなくなるから。頭が真っ白になって、手が動かなくなっちゃって」

音楽の授業中の光景を思い出した。あれはアルトリコーダーのテストが行われた日のことだ。ひとりずつ黒板の前に出て、『かっこう』を吹かされた。あのときのさくら子はさんざんだった。

さくら子は順番が回ってきて黒板の前へ立ったものの、なかなか吹こうとしなかった。音楽室に異様な空気が漂い始め、音楽の先生が苛立っているのが伝わってきた。眠人の席から、アルトリコーダーを持つさくら子の指が小刻みに震えているのが確認できた。頬と耳が赤くなっていく。

「どうしたのよ」

定年間近だという女性の音楽の先生が、質問というより問いつめる口調で言った。それを合図というふうにさくら子が吹き出す。しかしアルトリコーダーからは、フェロフェフォーと情けない音がもれただけだった。

お笑い芸人が笑いの基礎は緊張と緩和だとテレビで言っていた。まさにそんな状況で、さくら子のおかしな音が緊迫感を破り、眠人は笑ってしまいそうになった。実際、ぷっと噴き出した男子が何人かいた。けれどぼたぼたと大粒の涙をこぼすさくら子を見て、笑ってはいけない場面なのだと我に返った。

さくら子は片手でアルトリコーダーを握りしめ、反対の手をげんこつにして自分の胸を二度三度と叩いた。目をぎゅっとつぶり、紅潮した顔を左右に振る。それを何度かくり返した。自分の情けなさに必死に耐えているのだと気づいたとき、ただの心配ではなくて、この子って大丈夫かな、というもう一段深い心配をした。

　あの音楽の実技テストがさんざんだったのは、慣れていないアルトリコーダーのせいだと思っていた。慣れない楽器だから緊張して吹けなかった、と。でも幼いころから習っていた三味線でも駄目だなんて、相当な緊張しいだ。

「いまはそんな緊張しなくてもいいと思うぞ」と竜征が声をかける。「三味線はさくら子が一番なわけじゃん。おれや眠人が弾けない三味線を誰よりうまく弾けるわけだ。上から目線で見せつける感じで弾いてもいいくらいだよ」

「み、見せつけるなんて」

　さくら子は萎(しお)れるように肩を落とし、そっと東屋の外へ視線をやった。それを見て竜征が尋ねる。

「公園にいる人たちに見られたり聞かれたりするのも、苦手ってわけか」

「わ、わたし、あんまりこういう目立つところで弾いたことないから」

「眠人なんていつもここでひとりで弾いてるぜ」

　竜征に言われ、眠人は三線をケースから取り出した。

「ぼくだけじゃなくて、この公園はいろんな人が楽器を弾いてるよ。オカリナの人もいれば、トランペットの人もいるし、一回だけだけど馬頭琴(ばとうきん)を弾いてる人にも会ったことがあるよ」

「『スーホの白い馬』だ」とさくら子が反応する。その目が少しばかり輝いたように見えた。

「そう、あの話に出てくる馬頭琴。初めて見たよ。ここで楽器を弾いてると、ほかの楽器を弾いてる人たちが話しかけてきてくれて楽しいよ。みんな仲間って感じだから大丈夫だってば」

三線の調絃を終え、率先して音を鳴らす。今日はあいにくの曇り空だ。でも三線の明るい音色が心の中に青空を描く。

「まずはそれぞれ自分の楽器を練習して、それから三人で合わせようぜ」

竜征の提案に眠人もさくら子もうなずいた。

クリス先生のお別れ会では『じんじん』を演奏する。じんじんは沖縄の小さな子供が使う言葉で蛍のことだ。蛍、蛍、酒屋の水を飲んで、落ちろよ蛍、下がれよ蛍、といった内容の童謡で、『ほたるこい』と似ている。一番の歌詞はこんなふう。

「じんじん　じんじん　さかやぬみじくゎてぃ　うてぃりよー　じんじん　さがりよーじんじん」

曲のテンポは速め。メロディーを変えたり、ソロパートを入れたり、いろんなアレンジをされる曲でもあってエイサーでも踊られる。エイサーは沖縄でお盆の時期に行われる伝統芸能で、踊ったり太鼓を叩いたりしながら街中を練り歩く。

さくら子が自分の練習に集中できるように、眠人はさくら子に背を向ける形でベンチに座り直した。同様に竜征も背を向けた。竜征の担当は太鼓だ。太鼓は宮里(みやさと)さんに借りたもの。宮里さんは眠人が三線を弾いていたら声をかけてきたおじいさんで、かりゆしという沖縄版のアロハシャツを着た老人が話しかけてきたと思ったら、東久留米(ひがしくるめ)で琉球民謡の教室を開いている人だった。

三線を誰かに習っているのかと質問され、独学だと答えたら教室に通わないかと誘われた。残念だけれど貧乏でレッスン料が払えない。そう正直に伝えたら、遊びにくればいいと誘ってくれた。いまは月に一度くらいお邪魔している。

今回、三人で演奏する『じんじん』は童謡ということもあって難しい曲ではない。さくら子もすぐ弾けるようになると言っていた。実際のところ眠人の背後から聞こえてくるさくら子の演奏は、完璧と言ってよかった。

隣で太鼓を叩く竜征が目配せしてきて、視線から言いたいことを察する。こうして背を向けていれば、さくら子は緊張せずにちゃんと演奏できるじゃん。もう完璧に弾けてるじゃん。

「そろそろ三人で合わせてみようか」と竜征が切り出す。さくら子は顔を強張(こわば)らせ、

「ううう、緊張する」と視線を地面に落とした。和ませるために眠人は三線で楽しげな

メロディーを奏でつつ提案した。

「まずは五回連続で弾いてみよう。最初はゆっくりで慣れてきたらテンポを上げる。間違ってもオーケー。合わせるのはこれが初めてなんだから」

「了解!」

竜征は高らかに返事をしたけれど、さくら子からはなんの返答もない。がちがちに緊張しているようで、眠人の言葉が聞こえているかどうかさえあやしかった。左手を鎖骨の下あたりに当て、必死に落ち着こうとしている。

「弾く前に深呼吸しようぜ。するとしないじゃ緊張が違うから」と竜征。

「深呼吸?」

さくら子が首をひねる。

「うちの陸上部の顧問が大会のときに言うんだ。緊張とかそういう心のコントロールは難しいけど、呼吸なら自分でもコントロールできるだろうって。で、深呼吸すると結果的に心が落ち着くからいいんだってさ」

竜征は中学校に上がって陸上部に入った。運動部に入りたいけれどチームスポーツは好きじゃない。だから陸上部を選んだ。大会での成績はいいらしい。最近は背が伸びてきて、陸上をやっているせいか細いが筋肉のついたかっこいい体つきになってきている。

三人で深呼吸をした。竜征が太鼓をゆっくり四つ叩き、そのテンポで合奏を始める。

さくら子は手探りの状態で恐る恐る弾いていたけれど、三回目の演奏に入ったときには三味線がのびやかな音を奏でるようになった。

さすが三線よりも大きい三味線だ。音が大きい。そしてやわらかくて深い音を出す。三線とは皮やウマなどの素材が違う。その差が出ているみたいだ。

「いい感じじゃねえ？」

五回目を弾き終わったとき、竜征が満足げに微笑んだ。さくら子はよほど緊張したのか顔を真っ赤にしていて、ハンカチで額の汗を拭っている。眠人も手応えを感じた。これならばクリス先生のお別れ会で、いいものを披露できそうだ。さくら子に尋ねてみる。

「もうちょっと速く弾いても大丈夫かな」

「だ、大丈夫。こういう民謡っぽい弾き方したことないから躓（つまず）いちゃうけど、慣れてきたら大丈夫だと思う」

「いつもはどういう感じの曲を弾いてるの」

「わたしが習ってるお箏や三味線って地歌っていうジャンルで、演奏会だと着物を着て尺八と合奏したりする古典芸能って感じ」

「お堅いイメージだね」

「そ、そうかも。あ、でも現代曲っていう新しい曲もあって、それはけっこうかっこいいと思う」

「藤池さんとやるのはその現代曲ってやつ？」

急にさくら子の表情が曇った。

「ま、まだなにをやるかは迷い中で」

クリス先生のお別れ会で日本の楽器を披露するのは、眠人たちだけではない。一組の藤池真琴という女子も箏の二重奏を披露するらしく、パートナーとしてさくら子を指名してきた。ふたりは同じ箏の先生に習っているそうだ。

いまのところお別れ会の出し物の大取りがさくら子と藤池の箏で、その前が眠人たち。つまりさくら子は二曲続けてステージに上がる予定だ。

「眠人君たちとはこういう明るくてリズミカルな曲を弾くから、真琴ちゃんとは古典曲をやろうと考えてるんだけど、やっぱり難しいし、真琴ちゃんに迷惑かけたくないから、できるだけ簡単な曲がいいんだけど、箏の二重奏で簡単な古典曲ってあまりなくて」

さくら子は話しているうちに声がどんどん小さくなっていった。迷惑という言葉が耳に残る。もしかしたらさくら子は藤池といっしょに演奏をして、迷惑をかけた過去があるのかもしれない。緊張で頭が真っ白になり、演奏の手が止まってしまったことが。

「プレッシャーを感じてるってわけだな」

そう竜征が聞くと、さくら子はこくりとうなずいた。

「ま、おれたちとの演奏はとにかく楽しくやろうぜ。そもそもおれなんて楽器自体習ったことないんだからよ。おれたちとの演奏はプレッシャーはゼロってこと忘れるなよ」

再びさくら子がうなずく。しかしながらそう話す竜征自身は、難なく太鼓をこなしていた。宮里さんの民謡教室へ一度いっしょに行って教わっただけなのに、のみこみがいいようでなんの問題もない。曲が速くなってもテンポを狂わすことなく拍を刻むし、なによりほかの楽器と呼吸を合わせるのが上手だ。

練習を再開し、もう一度五回連続で弾いた。さくら子は自分でも言っていた通り、一度目よりもなめらかに演奏できるようになった。

この『じんじん』という曲はテンポを上げて速弾きを楽しんでもらう面もあって、速く弾けば速く弾くほどかっこいい。その点、三味線の大きなバチでは、三線の速くて細かいバチさばきについてこられないかもと心配していた。

ところが曲のテンポをどれだけ上げてもさくら子はついてきた。あの大きなバチの薄いバチ先で、細かい音も間違えずに紡ぎ出していく。さくら子は相当うまい。合奏しながら何度も舌を巻いた。

しかしながら問題がないわけではない。東屋のそばを人が通ると、さくら子の演奏は途端につっかえつっかえになった。足を止めて聞く人が現れると、混乱しているのか手が止まって合奏から消えてしまう。演奏を聞かれると意識するだけで、弾けなくなってしまうようだった。

「よう、坊主たち」

演奏中、聞き慣れた声が飛んできた。この公園でいつも話しかけてくる拝島だ。

「おっちゃん」

竜征が太鼓を叩きながら笑顔で応じる。

「今日は大合奏じゃないか。楽しませてもらおうかな」

拝島はのそのそと東屋に入ってきてベンチに腰かけた。せっかくの三人での合奏だ。かっこいいところを見せてやりたい。そう思ったけれど、案の定さくら子の演奏はぼろぼろになった。うつむき加減で弾くようになり、やがてその手が止まった。合奏に復帰できなさそうなので、眠人も竜征も演奏をストップした。

「あら、どうした」

ぽかんとした表情で拝島が尋ねる。さくら子の左手の指が小刻みに震えていた。震えを悟られたくなかったのか、その左手で三味線の棹をぎゅっと握った。顔が見る見るうちに赤くなっていき、瞳のふちに大量の涙が現れた。大粒の涙がぽろりとこぼれ、頬を伝って顎から落ちる。地面のコンクリートに大きな黒いしみを作った。

明くる日の夕方、眠人たち三人が東屋で練習を始めようとすると、再び拝島がやってきた。前日に気まずい空気にしたまま帰ったことを申し訳なく思っているようで、眠人たちの顔色を窺いながら東屋へ入ってくる。

拝島は市内にある工場で働いているそうで、公園を通るのが家への近道だという。工場では配送の部門にいるらしく、日頃から重たいものを持ち上げているせいか、がっちりとした体つきをしている。まくり上げた長袖からは、六十歳とは思えない筋肉質な腕が覗いている。

なぜ拝島の年齢を知っているかと言えば、「おれもう還暦だからさ」という言葉を本人から聞いたためだ。還暦という言葉がわからなかったので、国語辞典で調べてみたら六十歳とわかった。

色落ちした青のジーンズにポロシャツといった格好で、スポーツブランドのリュックサックを背負っている。着るものと体つきだけなら若い人と同じ。でも残念ながら髪の毛がない。禿げてきたので五分刈りにした。そんな感じの頭にいつも白いタオルをバンダナ風にかぶっている。本人はロックスターっぽいと思っているようだけれど、ラーメン屋の厨房に立ついかつい店主にしか見えない。

「どっこいしょ。今日も特等席で聞かせてもらおうかな」

拝島はベンチに腰を下ろし、手にしていた烏龍茶のペットボトルのキャップを開け、ごくごくとうまそうに飲んだ。

さくら子が人前で演奏するのが苦手なことは、昨日のうちに拝島には伝えてある。それなのにまたこうしてやってきたのは、どういうつもりなのだろう。さくら子が明らかに戸惑っていて、眠人も練習を始めていいのかためらってしまった。

眠人たちの戸惑いやためらいは拝島にも伝わったようだ。しかし飄々（ひょうひょう）とした口調で切り出す。

「うん、わかってるよ。そっちのお嬢さんは人前だと緊張して弾けないんだよな。だから今日はおれが偽の客になってやろうかなと思ってさ」

「偽の客っすか」と竜征が不思議そうに尋ねる。

「緊張に慣れるためのさくらの客ってこと。あ、お嬢さんの名前ってさくら子ちゃんだったな。まさにさくらの客だな。だはは」

さくら子が困って眠人へ視線を送ってくる。おじさんのギャグの対応は眠人も苦手だ。拝島は眠人たちの困惑をいっこうに気にせず、リュックサックをがさごそとやりながら言う。

「ただ聞いててもあれなんで、いつものあれをやらせてもらうよ」

「いいっすけど」と竜征が答える。眠人もうなずいた。

「あれって？」

ひとりさくら子が不安そうに眠人たちを窺う。眠人は拝島をそっと指差して教えてやった。

「あれってあれだよ」

拝島がリュックサックから小さめのスケッチブックを取り出した。黒い表紙の高級そうなスケッチブックだ。ペンケースも出てくる。拝島は組んだ足の上にスケッチブックを設置して鉛筆を握った。

「拝島さんはいつもぼくたちをデッサンしてるんだ。拝島さんって沖縄に住んでたらしくて、三線を弾いてるぼくを見て懐かしくなって声をかけてきたんだって。三線を弾いてる姿を描かせてくれないかって」

「その通り」

スケッチブックから顔を上げずに拝島が答える。

「絵描きさんなの？」

さくら子の言葉に眠人は竜征と顔を見合わせた。考えたこともない疑問だった。改めて質問してみる。

「拝島さんって絵描きさんなんですか」

「だはは、ないしょ」

拝島ははぐらかすように言い、以前に描いたらしい絵の手直しをしている。絵はいつも見せてもらっている。美術の教科書に載っているような芸術的なタッチの絵ではなくて、どちらかと言えばイラスト風だ。

ただとんでもなく上手だ。描き慣れた人であることは、絵をひと目見ただけでわかった。拝島はときおり絵をくれる。竜征なんて相当うれしかったらしく、百円ショップで買ってきた額縁に入れて飾っている。

「拝島のおっちゃんのことは気になると思うけど、きっとすぐに慣れるから。練習を始めようぜ」

竜征のひと声で練習の準備に取りかかった。さくら子もぎこちない様子で三味線の準備を始める。彼女が持ってきたチューナーで三味線と三線の音を合わせた。

三人で深呼吸をしてから弾き出す。いつも通りの五回連続の合奏だ。しかしさくら子の演奏がまずかった。バチと絃が間違ってぶつかり、がちゃがちゃと不恰好な音を鳴らす。眠人と同じメロディーを弾いているはずなのに、たびたび行方不明になってしまう。そして三回目の合奏の途中からは完全に離脱し、その手が止まってしまった。

「調子悪いなあ、さくら子」

竜征が太鼓の手を止めた。眠人も弾くのをやめる。

「ご、ご、ごめんなさい」

さくら子はすでに泣き顔だ。竜征が尋ねた。

「拝島のおっちゃんに帰ってもらおうか」

びくっとさくら子が体を震わせた。きっと驚いたのだろう。大人に帰ってもらうことを平然と提案してくる竜征に。そのぶしつけな提案にも。しかしそばで聞いていた拝島はまったく気にしていないようだ。のほほんと言う。

「そうだな、気になるようならおれは帰るよ」

拝島は気さくな人で、見た目はいかにもおっさんなのに、自分は大人だといったような偉そうな態度を取らない。十四歳である眠人や竜征と対等に話してくれる。

ぱたんと拝島がスケッチブックを閉じた。さくら子がまたびくっと反応し、見ればすでに大粒の涙がいまにもこぼれそうになっていた。

さくら子の返事ひとつで拝島が帰るかどうか決まる。そういった決定権を与えられ、重みに耐えられなくて涙を浮かべているのだろう。いままで何度も教室で見てきた光景だ。意見を求められると重圧に負けて泣いてしまう。二組で打ち合わせをしていて泣いたのも同じ理由からだった。

しばらくのあいださくら子は鼻をぐすぐすと言わせて泣いた。拝島は帰るべきなのか、残ってもいいのか、答えを待って中腰状態だ。竜征は黙ってさくら子を見つめている。あまりべたべたとしたやさしさを見せない。竜征にはそういうところがある。

「い、いえ。か、か、帰らなくていいです。いてください」

しどろもどろでさくら子が切り出す。バチを握ったほうの腕で、顔を隠すようにして涙を拭う。

「無理しなくていいんだぞ」

竜征が淡々と告げる。眠人もうなずいて同意した。

「あ、だ、大丈夫です。慣れたいです。ひ、人が聞いてくれてることに慣れたいです」

「オーケー」

トン、トン、トンと竜征は太鼓を叩いた。決定したからにはさっさと練習しようぜ、と太鼓で言ってきていた。

「今度は歌も入れていくから。もし歌えるようだったら歌ってみて」

眠人からさくら子に提案する。きっと歌えないだろうな、と思いつつ。さくら子はかすかにうなずいた。

練習を再開する。また五回連続で弾いた。曲はリズミカルで開放的なのに、いまいち盛り上がらない。さくら子の三味線が湿った音を奏でているせいだ。負けないように眠人は明るく歌ってみた。

眠人が歌っていることと、拝島が先客としていることで、足を止める人の数が増えた。面白いもので人が集まっていれば人はさらに集まる。多くの視線にさらされ、さくら子の演奏はいままでにないくらいぼろぼろになった。最後には眠人と竜征の演奏を邪魔しないためにか、合奏に参加しようともしなかった。

演奏が終わり、足を止めていた人たちが散ったあと、竜征が「あのさ」と切り出す。

「どうしてさくら子は人に聞かれるのが苦手なんだ?」

　さくら子は胸に手を当てた。しきりに首をかしげる。理由が思い当たらないのか、あってても言えないのか。また泣き出すのではと心配になってきたころ、うつむいたまま口を開いた。

「じ、実は小学生のときに演奏会で大失敗しちゃって、それから人前で弾くのがこわくて」

　眠人も疑問があったので聞いてみた。

「さくら子は箏や三味線を好きでやってるわけでしょう。単純に楽しめばいいと思うんだけど。それって難しいことかな」

　再びさくら子は首をかしげた。

「す、好きでやってるかどうかはよくわからなくて。わたしよりさきにお母さんがお箏と三味線を習ってて、わたしもやりたいってお願いして、お母さんに褒められるのがうれしくて練習してきたけど、好きかどうかはもうわからなくなってきちゃって」

　返す言葉に迷って眠人が黙ると、同じように竜征も黙った。拝島もなにも言わない。沈黙がこわくなったのかさくら子が焦った様子で語り出す。

「が、楽器を弾くことは好きだと思う。真琴ちゃんとの箏の二重奏も本当に楽しいし。でも演奏会で発表したり、誰かに評価してもらったりするのは、あまり好きじゃないというか」

「なるほどねえ」とのん気に竜征がつぶやく。そうつぶやく以外にいまは言うことがないというふうに。

「さくら子ちゃん、面白いね」

会話の流れをぶった切るようにして拝島が話に入ってきた。拝島の視線はスケッチブックに注がれたままだ。発言の意味がわからず、眠人も竜征もさくら子も拝島を見た。注目されていることに気づいたのか拝島が顔を上げる。

「あ、面白いというのは悪い意味じゃないよ。さくら子ちゃんは描いててすごく面白いんだ。スケッチのしがいがあるというか」

拝島の言おうとしていることはわからないでもなかった。さくら子は違う。眠人や竜征やクラスのほかの連中とも違う。拝島が尋ねた。

「さくら子ちゃんの親ってモデルかなにかやってたの」

「いえ、全然」

さくら子は顔の前で手のひらをぶんぶんと振る。

「じゃあ、お母さんがバレリーナだったりした？」

またもや手のひらをぶんぶんと振った。

「本当に普通のお母さんです」

「それならさくら子ちゃんのその骨格は、天からの贈りものだね。骨格が天才だもん」

わかる、と眠人は拝島の言葉に口走りそうになった。さくら子はクラスの女子たちから「スタイルおばけ」と呼ばれ、うらやましがられている。身長は眠人とさほど変わらない。でも手足が異様に長く、腰の位置が高い。衣更（ころもが）えしたばかりでまだ見慣れぬ白の半袖シャツから、ほっそりとした白い腕が伸びていて、その長さを持て余しているかのように見えるときがある。

「こういう骨格の人を初めて描いたなあ。頭蓋骨も小さくて、描いてて本当にこれでいいんかいな、なんて何度も確認したよ」

拝島が静かに興奮しているのが伝わってくる。たしかにさくら子の頭は小さい。眠人も初めて目にしたときは驚いた。あまりに小さくてソフトボールくらいにしか感じられなかった。学校では八頭身とか九頭身とかと言われている。まさにモデルやバレリーナにふさわしい体つきだ。それでいて顔つきは眠人と同じ十四歳とは思えないほど幼い。五歳の子供の顔が、細い首の上に乗っているかのようだ。

顔そのものはかわいいと言える。けれど美人と言っていいかどうか、眠人にはわからない。さくら子を前にして感じるのは、子犬を目にしたときに誰もが無条件で感じる愛らしさだ。だからこそクラスメイトからかわいがられ、大切にされ、甘やかされているのだろう。

眠人のいる二年二組はきれいな女子がそろっていると言われる。目のくりっとしたアイドルみたいな子もいれば、大人っぽい顔立ちの子もいるし、ボーイッシュなきりっとした子もいる。そうした子たちと比べ、さくら子は目も鼻も口も整っているけれど控えめで、印象の強さで負けてしまう。

それでも女子の集団に交じると、さくら子は自然と目を惹いた。引っこみ思案ゆえにほかの女子の背中に隠れ、もじもじとしているのに見つけられてしまう。拝島が言うような天才的な骨格と愛らしい小顔は、さくら子ひとりを見たときはさほど意識されないのに、集団に入ると際立つのだ。

「さくら子ちゃんは十年後にもう一度会ってみたいな」

拝島が真面目な口調で言う。

「十年後っすか」と竜征が尋ねる。

「そう、十年後。もしかしたらものすごい美人さんになってるかもしれないし、かわいらしい普通の人になってるかもしれない。どういう成長をしてどういう大人になるのか、予測がつかなくて楽しみなんだよね。うまく言えないけど可能性を秘めてるというか」

言われたさくら子は拝島の言葉をどう受け取ったらいいのかわからないようで、ただただ困惑していた。

「おれもさくら子からは可能性を感じるな」

竜征がバチで自らの肩を叩きながら言う。さくら子は大きく首をかしげた。

「そ、そうかなあ」

「そうだよ。たとえばだけどモデルになろうと思えばなれちゃう気がするし、普通の人とは違う人生を送るような気もする。どんどん変わっていけばいいんじゃねえかな」

「い、いや、わたしなんてほんとつまらない人間で、中身が空っぽなのは誰よりも自分でわかってるから」

さくら子は顔の前で手のひらを必死に振り、滅相もないというふうにうつむいた。

そんなに謙遜しなくてもいいのに。さくら子は自己評価が異様に低い。周囲がどれだけ褒めても耳を貸さず、自分なんかというネガティブな姿勢を崩さない。

最初は、人を惹きつける容姿をしていることから、やっかみを恐れてあえて低姿勢でいるのかと思った。でもいっしょに演奏するようになり、よく観察してわかった。さくら子は心底自分を低く見積もっている。駄目な人間であると信じている。

「ぼくもさくら子からは秘めた可能性を感じるけどなあ」

眠人も拝島や竜征たちの意見に賛成であることを表明する。しかし当のさくら子は三味線を抱えて体を縮こめてしまった。

美しい骨格を持ち、愛らしい幼稚園児みたいな顔をしている。裏表のない性格で陰口は叩かない。普段はほんわかしていて、ひねくれたところもない。ちょっと言い方が悪くなってしまうけれど、これほど人畜無害な子に会ったことがない。クラスメイトからかわいがられ、甘やかされ、大切にされている理由はそんなところにもある。

眠人や竜征と違って、さくら子はみんなから受け入れられている。だったらこれはこれでいいのかも。実際にあるかどうかもわからない可能性を信じ、変に行動して傷つくより、このままでいいのかも。変化なんかせずに、このままのさくら子のほうが。


日曜日、午後一時に公園の東屋に集合と約束したのに、なかなか竜征がやってこない。さくら子とベンチに離れて座ってふたりきり。会話もなくて気まずいので、眠人は手持ち無沙汰に三線を奏でた。

「あ、あの」

さくら子が遠慮がちに呼びかけてくる。「うん？」と三線を弾く手を止めた。

「ま、前から眠人君に聞こうと思ってたんだけど」

「うん」

「眠人君はみんなの前で三線を弾いて緊張しないの？」

「そりゃあ、するよ」

「でも全校生徒の前で弾いたとき、全然緊張してるふうに見えなかった」

「去年の文化祭のときのことかな」

「そう」

一年生の文化祭で眠人は三線を弾いた。体育館の壇上でコントやバンド演奏やダンスやお芝居などが披露され、眠人はザ・ブームの『島唄』を演奏した。同じクラスの目立ちたがり屋の男子が歌いたがり、伴奏のオファーを受けたのだ。

「あのときぼくは弾くだけだったからね。歌えって言われたらもっと緊張してたと思うよ」

「けれどみんなが注目してたのは眠人君のほうだったよ」

「そうかな」

「三線を弾くっていう普通じゃできないことを、ステージでやってたのは眠人君のほうだったもん。こ、こういうこと言っていいかわからないけど、眠人君のほうが歌ってた人よりきらきらしてたよ」

褒められて照れくさくなり、三線で適当なフレーズを掻き鳴らす。

「たぶんだけどぼくの場合は緊張より、気持ちの盛り上がりのほうが勝っちゃうんだよね」

「勝っちゃう？」

「緊張より夢中が勝っちゃうんだよ。小学生のときにさ、人が集まった場面で三線を弾いたら、聞いてる人たちが演奏にぐっと引き寄せられるのを感じたんだ。音楽ってそういう力があるんだな、自分にも人を惹きつける音を出せるんだな、なんて知ったら緊張より楽しさを感じるようになってさ」

「かっこいい」

さくら子は小さくつぶやき、尊敬の眼差しを向けてきた。幼い子供のようなまっすぐな尊敬を向けられて気恥ずかしくなる。彼女の瞳はきらきらと輝いていて、ひとりで受け止めるにはまぶしすぎた。

拝島が言っていたように、さくら子は骨格が天才的だ。さらに言えば、さらさらの髪の毛もすべすべの白い肌もみんな光沢を宿していて、神様が気合いを入れてすべてのパーツを作り上げたんじゃないかというような子だ。面と向かって話していると目のやりどころに困って息苦しくなってしまう。もっと話していたいのに、同時に逃げ出したくなっている。

会話が途切れた。急に訪れた無言の空白にひやりとする。なにか話さなくちゃと焦っていると、眠人とさくら子のあいだにふわふわと飛んでくるものがあった。「きゃあ」とさくら子が小さく叫んで立ち上がった。

「わ、わ、わたし蛾が苦手で」

さくら子は両手で顔を覆い、指の隙間からふわふわと飛ぶものを窺っている。

「こいつは蛾じゃないよ。茶色いけど蝶だよ。ジャノメチョウって名前」

「ジャノメチョウ?」

「羽に蛇の目みたいな模様があるでしょう。だからジャノメ。鳥に食べられないように、天敵の蛇の目みたいな模様をつけたって説があるよ」

手をくねくねと動かして蛇のまねをすると、さくら子が噴き出して笑った。

「そんなにおかしい?」

「眠人君がそんなことする人だと思ってなかったから」

さくら子は両手で口を押さえて笑い続けた。クラスメイトがよく口にしている「さくら子の笑いのツボが浅い」というのはこういうことか。簡単に笑ってくれると構えずに話せる。さくら子がクラスメイトから好かれる要因もこのへんにあるのだろう。

蝶に関して本で仕入れた知識を話した。蝶と蛾の違いを説明するのは難しいこと、英語ではバタフライとモスとに分けているけれどフランス語のパピヨンは蛾も含むこと。

「眠人君って物知りだねえ」

さくら子との距離が縮まったように思える。気をよくしてさらに話を続けようとしたところで竜征がやってきた。やっと練習が始められる。けれど少しばかり残念な気持ちを抱いた。

練習を始めて十分ほど経ったころだ。自転車の集団が東屋へ近づいてきた。同じクラスの田中と取り巻きの男子の三人だ。そのグループの一員と言ってもいい女子のふたりってきた。

もいる。田中は乗ってきたマウンテンバイクを東屋に立てかけると、中へずかずかと入

「よお、本当に公園で練習してるんだな。ちょっと聞かせてもらおうかな」

田中の言葉にさくら子の顔が強張る。竜征がむっとして太鼓のバチ先を田中に向けた。

「来るなって言っただろう。練習段階だから聞かせられないって説明したじゃねえか」

会話の内容から察するに、竜征はここへ来る途中に田中のグループと出くわしたのだろう。そして田中が聞きたがったけれど断った。たぶんさくら子のために。聞く者がいると緊張してしまう彼女のために。

「けちくせえこと言うなよ。さくら子の演奏を聞いていいかどうか、竜征が決める立場じゃねえだろうが」

ほかの面々も田中に続き、東屋が占拠された。三線を弾くためにベンチに座っていた眠人に、じろじろと無遠慮な視線を投げかけてくる。一方でさくら子には愛想を振りまいていた。こいつらはきっとさくら子が人前で演奏するのが苦手なことを知らないのだ。音楽の実技テストがさんざんだったのは、リコーダーが苦手だったくらいに考えているに違いない。

「つうかさ、眠人も竜征も最近いい評判を聞かないよ」

そう言って田中は「ニヒヒ」と笑った。いやらしい笑い方をする。反射的に眠人は

尋ねた。

「評判ってどんな評判なの。誰が言ってるの」

「ネットにあるクラスの掲示板での評判だよ。って言ってもケータイを持ってない眠人には、なんのことかわからねえだろうけどな」

田中だけでなく、取り巻きたちもわざとらしい笑い声を上げ、嘲りの視線を向けてきた。

「その評判ってどんなふうなのか、もう少し詳しく聞かせてくれよ」

竜征が静かに問いかけた。腹を立てても声を荒らげず、淡々と接する。竜征が見せる怒りのスイッチが入ったときの状態だ。

中学に上がったころから竜征の両親の仲が険悪になった。そうした話を聞くようになるのと時を同じくして、竜征がこうした静かな怒りのモードを見せるようになった。しかしスイッチが入っていることに気づかない田中は意気揚々と言ってきた。

「眠人も竜征もさくら子とつるむようになって、いい気になってるって話だよ。みんな言ってるぜ。なあ?」

田中がにやにやしながら仲間に同意を求める。求められた連中もにやつきながらうなずいた。なるほどね、と眠人は心の中でつぶやいた。

演奏を聞きたいなら、聞かせてくれと頼めばいいだけの話だ。でも田中は難癖をつけてきた。眠人と竜征の評判を落とすようなことを口にする。その心は、さくら子が眠人たちと行動をともにしているのが面白くないってわけなのだろう。

田中はクラスメイトや所属している仲良しグループの連中を牛耳り、その上に立ちたがる傾向がある。みんなおれの手下だぞってアピールをしたがるのだ。二年生で田中と同じクラスになり、まず感じたのはそのことだった。

眠人は一年生の文化祭で三線を披露して一躍注目を浴びた。警察に二度も捕まり要注意人物と見なされているけれど、それはそれで箔がついた。特技があり、尖ったやつといったキャラづけがされた。そのため一目置いてくれる男子も多い。

そうした眠人を田中はグループの仲間に入れたがった。クラス替えでいっしょになった初日から、眠人と呼び捨てにして馴れ馴れしく接してきた。おれの傘下には三線を弾けるやつがいるんだぜ、と自慢したいためだろう。田中はよくこんなようなことを言っている。

「市のリトルリーグのチームで四番を打ってるやつ、学童野球いっしょにやってておれがバッティングを教えてやったんだぜ」

「公園でストリートダンス踊ってる動画をネットに上げて、有名になってる子いるだろ。あの子に動画を上げてみろって提案したのおれなんだぜ」

みんな田中の息がかかったやつ。そういうアピールをしたいのだ。不思議なかわいらしさを持つクラスのマスコット的存在であるさくら子も、そうしたひとりにしておきたいのだろう。なのに眠人や竜征と行動をともにしている。それが面白くないというわけだ。

田中がへらへらと笑って続けた。

「こんな噂も聞くぜ。眠人か竜征のどっちかが、さくら子のこと好きで狙ってるって」

眠人は我慢できなくなり、三線を脇に置いて立ち上がった。さくら子が人前で演奏できるように頑張っていることを知りもしないで、適当なことを言いやがって。

しかし立っていた竜征のほうがさきに田中のもとへ歩み寄った。すたすたと田中の目の前まで歩いていき、三十センチもない距離で足を止める。身長は同じくらい。でも陸上部で鍛えている竜征のほうが体に芯があるように感じられる。

「お、なんだ竜征。おれと揉めようってのか」

「おれをよく見ろ」

竜征は自分の顔を指差した。

「はあ？」

「さくら子とつるんでいい気になってる？　狙ってる？　そういう噂レベルの話はやめろ。ネットの掲示板とかで勝手に作り上げたおれたちのイメージで、勝手に腹立ててるんじゃねえよ。実物のおれと眠人をちゃんと見ろ」

田中は無表情になった。どう切り返すか計算しているのだろうか。突然殴りかかるチャンスを窺っているようにも見える。万が一に備えて眠人は臨戦態勢を取った。しかし田中はへらっと笑った。

「しらけたよ、竜征。冗談だよ、冗談。まじになるなって」

「冗談だったのか。だったら田中とは笑いのセンスが合わねえな。一ミリも笑えなかったよ」

「おい、竜征！」と田中の取り巻きのひとりが凄んでみせる。

「やめようぜ。もう帰ろう」

田中は軽やかに言って東屋を出ていった。ほかの連中が渋々というふうに従う。田中はマウンテンバイクに跨ってペダルに足をかけ、竜征、眠人、さくら子と順番に視線を移した。自分に視線が集まっていることをじゅうぶんに確認してから言う。

「別におれたちは揉めに来たわけじゃねえからさ。さくら子が心配で来ただけだからよ」

あくまで上からの態度を貫くつもりらしい。さくら子のためだなんて、いいやつぶりやがって。竜征が腕組みをして返した。

「さくら子のことなら心配するなって。おれたちと楽しくやってるからさ」

「さあ、どうだろうね。なんてったって眠人と竜征だろ。心配しないわけにはいかねえじゃねえか。朱に交われば赤くなるって言うだろ」

竜征がむっとした。眠人も眉間に縦のしわを寄せた。そうした反応が見て取れて田中は満足だったらしい。余裕に満ちた笑みを浮かべ、さくら子に語りかけた。

「なあ、さくら子。クリス先生のお別れ会で無理して二曲も出る必要はねえからな。こいつらとうまくやれないと思ったら、すぐおれに言ってこいよ。一組の真琴との演奏に集中できるように、おれから先生に言ってやるからよ。それからくれぐれも眠人や竜征から変な影響は受けねえように気をつけろよな。さくら子はそのままでいいんだからさ」

最後に田中は眠人と竜征に向かって言い放った。

「おまえら、さくら子を汚え赤に染めるなよ」

田中たちが去ったあと、しばらく誰も口を利かなかった。後味の悪さばかりが残り、眠人は適当に三線を爪弾き、竜征はベンチに寝転がって目をつぶり、さくら子はうつむいた。意外にも最初に口を開いたのはさくら子だった。

「ご、ご、ごめんなさい。わたしがみんなの前で弾けないのをかばってくれたせいで、変な感じになっちゃって」

「別にそういうんじゃねえよ」と竜征が体を起こし、胡坐をかいた。「でも田中が言ってた通り、無理して二曲出なくてもいいからな。一組の藤池との曲に集中したいんだったら、そう言ってくれよな」

「あ、いや、だ、大丈夫。わたし、竜征君たちとも演奏したいから」

「でも二曲分のプレッシャーがかかるわけじゃん」

さくら子はぶんぶんと首を横に振った。

「わたし、いまの自分から変わりたいんだよね。人の視線が苦手で、意見が言えなくて、すぐに泣いちゃう自分が嫌い。そんな自分から変わるために、いま逃げちゃ駄目だと思う。竜征君や眠人君との曲も成功させたいし、真琴ちゃんとの演奏も成功させたいんだよ」

竜征は腕組みをし、さくら子をしげしげと眺めてから言う。

「さくら子ってけっこう頑固なんだな」

「そ、そ、そうかな」

「眠人くらい頑固だぞ」

「ちょっと待ってよ」と眠人も聞き流せずに会話に加わる。「ぼくって頑固かな」

「なんだよ、眠人。自覚ないのか。おまえかなり頑固だぞ」

「どこがさ」

「そもそも三線を始めたときだって、春帆に教えてくれって無理やり頼みこんだじゃねえか。あれって小学生だったからよかったけど、いまやったら通報されるぞ」

「そ、そうかな。もしかしたら前科三犯になるところだったかな」

「やばかったぞ」

「やばかったかも」

「まあ、小学生だったからセーフ」

「そうだね、セーフ」

竜征とふたりして野球のセーフのポーズをする。するとさくら子がくすりと笑った。空気が和んだところで竜征が言う。

「さくら子がやる気に満ちてるのはわかったよ。結局、自分が変わらないことには状況は変わらねえからな。なにもしなくてもうまくいくほど、世界はおれたちにやさしくはねえからよ」

さくら子が神妙にうなずく。眠人も自然とうなずいていた。

どうしたらさくら子が人前での演奏に慣れるのか、三人で毎日話し合った。心の問題なので簡単には答えが出ない。荒っぽい改善方法のほうがいいのか、それともうまくいったという成功の経験を地道に重ねていったほうがいいのか。

いっそのことさくら子に催眠術をかけてもらい、人の視線が気にならなくなるようにしてもらえればいいのだけれど、もちろんそんなわけにもいかない。

眠人と竜征がうんうんと唸りながら頭をひねっていたときだった。

「あ」

さくら子が東屋の外を見て、小さく驚きの声をもらした。眠人も竜征も同じ方向へ目をやった。拝島がこちらへ向かってきていた。ひとりではない。同い年くらいと思われる男の人と女の人がいっしょにいる。ふたりはそれぞれ白い犬を連れていた。けれど普通のサイズではない。人間よりも大きい犬たちだ。

一頭はシェパードだろう。警察犬として活躍する犬種だ。でも全身真っ白は初めて見た。もう一頭はさらに大きくて丸っこい。なんていう犬種だろうか。

「ホワイト・スイス・シェパード・ドッグとグレート・ピレニーズだ！」

さくら子が満面の笑みを浮かべ、犬たちに駆けていった。

拝島が一同を連れて東屋へ入ってきて、紹介してくれた。ホワイト・スイス・シェパード・ドッグはオスで名前はソロ。体重は四十キロ。グレート・ピレニーズはメスで名前はうらら。こちらは五十キロ。二頭とも超大型犬だ。

さくら子が見たことないほど興奮していて、二頭のそばにしゃがみ交互に抱きついている。拝島が笑顔で尋ねた。

「さくら子ちゃん、犬が好きなのかい」

「はい。小さいころから大好きで、でもうちは飲食のお仕事をしてるから飼えなくて。将来、広い庭のある家で大型犬を飼うのが夢なんです」

拝島がソロの飼い主さんもうららの飼い主さんも、長いつき合いであると紹介してくれた。ソロやうららより先代の犬が、かつて拝島の飼っていた犬と友達だったそうだ。

さくら子が拝島に尋ねた。

「拝島さんも犬を飼っていたんですか」

「沖縄で暮らしてたとき、保健所からレスキューされた犬をもらったんだ」

「レスキュー？」

「処分されちゃう子だったんだけど、犬を保護するボランティアさんが保健所から引き出してくれて、その子をおれが迎え入れたんだよ」

拝島を見るさくら子の目が尊敬の眼差しへ変わっていくのが、そばで見ていてよくわかった。

トトトンと竜征が出し抜けに太鼓を叩く。するとソロが狼のような大きくて三角の耳をさらにぴんと立てた。

「お、反応したぞ」

竜征が面白がってもう一度叩く。いたずら心を起こしたようだ。続いて眠人も三線を奏でてみた。今度はうららのほうがぼんやりとした顔つきのまま反応した。

「君たち、せっかくだからおれらの演奏を聞いていけよ」

ソロとうららに竜征が笑いかける。またおかしなことを言い出しやがって、と眠人は顔をしかめた。けれども拝島がその話に乗っかった。ソロとうららにお座りをさせ、飼い主たちをベンチに座らせた。

「竜征君、太鼓の音が大きいとびっくりしちゃうから控えめにね」

拝島の注文に竜征は「ラジャー」と元気に応える。それからやさしく太鼓を叩いてみせた。これくらいならいいでしょう、と。「ほら、さくら子ちゃんも」と拝島にうながされ、さくら子も三味線を手に取った。

音はおとなしめ。テンポはゆっくり。犬たちの反応を窺いながら『じんじん』を演奏した。眠人が歌ったら、ソロもうららも目を丸くしたり首をかしげたりしながら聞いている。その様子が微笑ましくて、笑いそうになりながらなんとか演奏を終えた。飼い主たちも面白がってくれて、そろって眠人たちに礼を述べた。

「あんまり緊張しなかったみたいだな」

竜征がさくら子に向かって言う。さくら子はきょとんとしたあと、不思議そうな顔をして答えた。

「あ、そ、そうかも。ソロ君とうららちゃんがかわいくて、そっちばかりに気を取られてたから」

その言葉を耳にした拝島の目が光ったように見えた。

「なるほど、さくら子ちゃんはわんこが客なら緊張しないのか」

「あはは、そうかもしれないです。箏の演奏会もお客さんが全部犬だったら緊張しないのにな」

「なるほど。だったらいろいろ連れてきてあげよう。おれはわんこの友達がたくさんいるからさ」

その日以降、拝島は犬とその飼い主を、公園へ連れてくるようになった。犬の友達が多いと言っていたけれど、実際にたくさんの犬を連れてやってきた。平日の夕方でも土日の昼間でも、次から次へと新たな犬を連れてきた。

パピヨンのような小型犬もいれば、バーニーズ・マウンテン・ドッグのような超大型犬もいた。いかにも猟犬といったいかつい顔つきの子もいれば、かわいらしい雑種の子もいた。統一性はない。とにかく多くの犬が来た。二週間で三十頭近くやってきただろうか。拝島によればまだまだ連れてこられるという。

さくら子は新たな犬がやってくるたびに大喜びだった。小さい子は抱きしめ、大きい子には抱きつき、触れ合いを存分に楽しんだ。拝島はやってきた犬たちが眠人たちの演奏を聞く絵を描いては、飼い主たちに渡していた。ただ、描かれる犬は連れてこられた犬たちよりもなぜかいつも一頭多くて、眠人が観察してみたところ白い和犬が交ざっていた。

「いつも描かれてる白い犬、どこかで見たことがあるんだけど」

奇妙なことをさくら子が言う。拝島に尋ねてみたところ、それがかつて沖縄でレスキューしたという犬だった。拝島が悲しげな表情を浮かべたので、それ以上詳しく質問できなかったけれども。もうこの世界にいない子であることは容易に想像できた。

拝島が犬を連れてきて、眠人たち三人が演奏を聞かせる。なんだかんだ言って、さくら子が緊張に慣れるのにこの方法が一番のようだった。さくら子は犬に聞かせるつもりで三味線を弾く。とはいえ飼い主たち人間も聞いているわけで、結果的にたくさんの場数を踏むこととなった。

そうしたある日のことだ。ゴールデン・レトリーバーを連れた家族が招かれてやってきて、眠人たちの演奏を聞いた。家族には小学校三年生の女の子がいた。その子は熱心に演奏を聞き、そしてさくら子に言ったのだ。

「三味線かっこいいです。わたしもお姉ちゃんみたいに、三味線を弾けるようになりたいです」

さくら子の目に涙が浮かんでいた。憧れてくれる人がいる。そうした喜びに心を打たれての涙のようだった。いままで彼女の涙は何度も見てきた。でもまったく違う涙に見えた。

不思議なことに涙を流したその日以降、さくら子の演奏は安定していった。犬連れではない客が東屋の外で聞いていても、動揺せずに演奏できるようになった。急にまた緊張するようになったら困るので、さくら子の変化はあえて話題にしないように努めた。それは竜征も同じつもりのようで、気づいているけれども見て見ぬふりを続けているようだった。

拝島も変化に気づいたようだ。眠人とふたりきりのときに、のんびりとした口調で言ってきた。

「さくら子ちゃん、緊張しなくなったなあ。憧れられて自信が芽生えたのかもなあ。もしくは憧れられたからには、かっこいい姿を見せなくちゃって頑張ってるのかもなあ」

　さくら子の緊張対策が解決に向かったことで、練習は演奏の完成度を上げることに集中できるようになった。日に日に曲がいいものに仕上がっていく手応えがあり、練習後は晴れ晴れとした気持ちでダム湖の堤防の上に延びる遊歩道を歩いた。

　三人で横並びになり、コンクリート製の分厚い欄干に寄りかかった。太陽が湖面を赤く染めながら沈んでいく。シルエットとなった富士山、夕暮れの中で白く浮かび上がる西武ドームの屋根、物寂しさを演出する取水塔、行くあてがあるのか空を横切っていく二羽の烏。それらを見るともなしに見ながら、たわいない話をした。新青梅街道沿いに新しく天ぷらのチェーン店が進出してくること、コンビニの新人アルバイトの声が大きくて客がびっくりしていること、緑道のアナベルが満開であること。

　人の悪口やいやな噂話はしない。これはさくら子がいるせいかもしれない。彼女は裏表がなくて朗らかだ。のほほんとした育ちのよさに引っ張られていることは眠人も自覚していた。適切な言い方がわからないのだけれど、さくら子といっしょにいると浄化される。彼女からいい影響を受けている。そしてそんな自分は嫌いではない。それは竜征も同じであるようで、やわらかな笑みを浮かべることが多くなった。

　さくら子から話題を持ち出すようにもなった。だいたいその日に会った犬についてだけれども。また拝島について推理するのも好きなようだった。

「あんなに絵が上手で、犬の知り合いがたくさんいるって、不思議な人だよねえ」

拝島を観察していると、連れてきた犬の飼い主たちから敬われているのがわかる。沖縄でかつて犬をレスキューしたからとか、絵がうまいからとかかもしれないけれど、それだけではないように思える。

そしてどの飼い主も拝島にどこか遠慮していた。やんわりとした気遣いを感じる。踏みこまないようにしているといったふうだ。その理由はやっぱりわからない。

「わからないなあ」

さくら子が欄干にもたれかかり、頬杖(ほおづえ)をつく。手足の長い彼女がそうしたポーズを取るだけで絵になった。まるでモデルのようだ。拝島のように絵が描けたなら、すかさずスケッチしたかもしれない。

鼻歌が聞こえた。さくら子だ。『じんじん』を軽やかに口ずさんでいる。竜征は欄干に背を預け、反対の東の空を眺めていた。遠く新宿のビル群が霞(かす)んで見える。クリス先生のお別れ会まであと一週間。さくら子も緊張しなくなってきて、本番はうまくいきそうだ。その明るい予感に包まれて、心がくすぐったいようなふわふわとした感覚に陥る。

青春だなあ。

もし誰かが口走ったらうなずいてしまいそうだ。気恥ずかしさで苦しくなり、眠人は東の空を指差した。

「見て。裏後光だよ」

「ウラゴコウ？」

さくら子が空を見上げて首をかしげる。

「太陽は西の空に沈んでいくでしょう。でも太陽が沈んだ方角じゃない東の空から、放射状に光の筋が広がってるでしょう」

「うん、天が割れてるみたい」

放射状に伸びる光は薄い茜(あかね)色。暮れていく群青色の空を、その茜色の光が何本も走って分断している。茜色と群青色のコントラストが美しい。こんな広い空のキャンバスに壮大な絵を描くなんて、まるで神様の仕業だ。でもこの現象にはきちんと理由がある。

「太陽が沈む西の空から伸びる放射状の光を、後光って言うんだ。割れて見えるのは雲の影のせい。光が雲に阻まれて、たくさんの光の筋になって見えるんだ。で、西の空から出た光は、東の空の地平線にまたぎゅっと集まっていく。遠近感のせいで収束して見えるんだって。それが東の空から光の筋が放射状に広がって見えるから、裏後光って言うんだってさ」

「眠人君って本当に物知り」

さくら子が拍手をして讃(たた)えてくれた。

「暇なだけだよ。ぼくはみんなみたいにゲーム機持ってないし、テレビだってお父さんが齧りついていて見られないし。だから空を見たり、カブトムシや蝶を見たり、目の前にあるものをぼうっと見るしかないんだ」

「けど眠人が偉いのは、そうやって見たものをちゃんと図書室で調べることだよな」

竜征が感心してみせる。

「それもパソコンがうちにないからだよ。図書室で調べるしかないんだ」

「おれだったらケータイやパソコンで調べてわかった気になって終わりにしちゃいそうだ。結局、すぐ忘れるんだけど。でも眠人は調べたいことについて本を丸々一冊読むじゃん。あれってすげえよ」

「それも暇だからだよ」

褒められてこそばゆい。

「田中たちもネットの噂話なんて信じてないで、眠人みたいにちゃんと目の前にあるものを見ればいいんだよ。なにが本当でなにが嘘かは、目の前にあるはずなんだからさ」

竜征はじっと新宿の高層ビル群を見たまま言う。そういえば竜征のお父さんは新宿にある会社で働いていた。なにが本当でなにが嘘か、竜征の家では混乱した状態になっているのかもしれない。

「そうだ、眠人。あれをさくら子に見せてやっていないな。さくら子も早い時間なら大丈夫だろうからさ」

「ああ、あれね」

眠人も竜征がなにを言いたいのか、すぐにぴんときた。さくら子に尋ねる。

「夜にこの公園に集合するとして、夜の八時と十一時と深夜の二時だったら、何時に来られる？」

「八時だったらなんとか。お父さんとお母さんを説得しなくちゃいけないけど。でもどうして」

「それはサプライズのほうがいいな」と竜征が笑う。「おれも眠人にサプライズで教えてもらってびっくりしたからさ」

「天気のいい日で、もうピークだからなるべく早い日のほうがいいよ。それでさくら子が大丈夫な日があったら八時に集合しよう」

眠人が提案すると竜征が「オーケー」とつぶやく。さくら子はぽかんとしていたが、やがてこくりとうなずいた。


明くる日、眠人と竜征で練習の準備をしていると、「大変、大変」とさくら子が東屋に駆けこんできた。細い腕で大きな紙の手提げ袋を持っている。竜征が尋ねた。

「どうしたんだよ、そんな慌てて」

さくら子は東屋のテーブルに紙袋を置くと、中身を取り出して並べた。漫画本が十冊出てきた。

「この漫画、知らない？」

「知らねえな」

眠人も首を横に振った。

「アニメもやってたんだよ。わたしたちが小学校に上がる前の話だけど。それでね、この漫画の作者の名前を見てよ」

一冊を手に取ってみた。タイトルは『ハッピーの冒険』で、どの表紙も同じ白い和犬が描かれている。どこかで見たことのある犬だ。

「えええぇ！」

思わず叫んだ。

「げ」

竜征も驚いて固まっている。拝島オサムと作者名があった。表紙の和犬がいつも拝島によって一頭多く描かれていた犬であることに気づく。

「そうなんだよ、拝島さんなんだよ。拝島さんって漫画家さんだったんだよ。うちのママ、『ハッピーの冒険』が好きでコミックスも持ってて、わたしも小さいころよく読んでたのにどうして気づかなかったんだろう。ぬいぐるみとかキャラクターグッズだって持ってたのに」

さくら子は悔しそうに地団駄を踏み、「そうだ、サインをもらわなくちゃ」と天を仰いだ。

その『ハッピーの冒険』を回し読みしてみた。内容は沖縄でレスキューされた白い和犬のハッピーが、飼い主のオサムとともに東京へやってきて、いろいろな犬と出会って友達になっていくというものだった。犬たちは人間のいないところでは普通に人間の言葉を話し、遊んだり揉めたりとかわいらしい。ストーリー漫画というより、エッセイ風のほのぼのとした漫画だった。

「うちのご主人のオサム、一日中白い紙に向かってなにか描いてて、おかしいんじゃないだろうか」

そうハッピーが犬の友達に相談するシーンでは、くすりと笑ってしまった。あまりにも面白くて練習もせずに夢中で読んだ。全十巻だったけれど、ひとコマの絵が大きいのであっという間に読み終えてしまった。

漫画には以前に拝島が連れてきたホワイト・スイス・シェパード・ドッグのソロとグレート・ピレニーズのうららにそっくりの犬が登場していた。

「ソロやうららの親かもしれないよ」

そうしたさくら子の推理に耳を傾けていると、仕事帰りの拝島がやってきた。気づいたさくら子が『ハッピーの冒険』の一冊を手にして東屋の外で拝島を出迎えた。

「これって拝島さんが描いた漫画ですよね。わたしもママも大ファンでずっと大好きで、でもまさか拝島さんが描いたなんて知らなくて、ほんともうどうしようって感じで。あ、まずはサインをお願いしたいんですけれどいいですか」

こんなにも早口でまくし立てるさくら子を見るのは初めてだ。拝島も気圧(けお)されつつ、「サインね、いいよ」なんて答えている。東屋のテーブルを陣取り、リュックサックからサインペンを取り出した。

「宛名も入れる？　さくら子ちゃんへって」

「入れてください。うちのママの名前もいっしょにいいですか。果物の桃で桃子(ももこ)って言うんですけど」

「もちろんいいよ」

拝島は手馴れた様子でさらさらとサインを書き、余白に笑っているハッピーを描いた。

「ありがとうございます！　一生の宝物です！」

さくら子はサインの入った『ハッピーの冒険』を抱きしめて目を潤ませた。「よかったな」と竜征が笑いかける。眠人としては大興奮のさくら子を前にして、淡々としている拝島の様子が気になった。さくら子がファンだと告げているのに、さほどうれしくなさそうなのだ。

「あの、こんなこと聞いていいかわからないんですけど」

もじもじしながらさくら子が切り出す。拝島はやさしくうながした。

「なんだい」

「『ハッピーの冒険』の続きは描かないんですか」

漫画はハッピーの日常を描いたもので、いくらでも続きを描けそうに思えた。最終話は唐突な感じで「終わり」の文字が最後のコマに書き入れられているだけ。その内容は最終回といった感じはまるでなかった。

「それ、よく言われるんだよ。でも連載が終わって十年が経っちゃったからなあ」

拝島が困ったように笑う。

「描くのがいやになっちゃったとかですか。わたしもママも『ハッピーの冒険』の続きが読みたくて、どこかで連載していないかなってインターネットで検索して探したりしたんですよ。でも見つからなくて、そしたらまさか拝島さんが漫画家の拝島オサムさんだなんて、わたしもびっくりしたしママに報告したらすごく驚いてて、それで長いあいだ疑問だったことをどうしても聞きたくて」

さくら子は言い終えると、はあはあとまるで短距離走のあとみたいに肩で息をした。興奮しすぎて話しているあいだ息をするのを忘れていたようだ。

「あのね、さくら子ちゃん。描くのがいやになったわけじゃないんだよ。どちらかというと満足しちゃったんだ。『ハッピーの冒険』だけじゃなくて、漫画はもう描かなくてもいいかなって思っちゃったんだよ。だからもう十年なにも描いてないんだ」

拝島は再び困ったように笑った。心に浮かんでいるものが甘いのか苦いのか、見ているだけではわからない微笑み。拝島が大人であることを初めて意識した。

なぜ拝島が漫画を描かなくなったか、公園を散歩しながら聞かせてもらった。散歩は拝島からの提案だ。

「ちょっとシリアスな話だから、ぶらぶらしながら話そうか。荷物はおれが持ってやるよ」

拝島はそう言うなり、『ハッピーの冒険』が入った紙の手提げ袋を手に東屋を出ていってしまったのだ。眠人たちは顔を見合わせたあと慌てて追いかけた。

ダム湖の堤防の斜面に設置された階段をのぼり、上の遊歩道へ出る。拝島は湖に面する側の欄干のたもとに歩み寄り、手提げ袋を置いて振り返った。例のなんと表現したらいいかわからない大人の笑みを浮かべている。

「中学生の君たちに話していいかわからないけど、おれが沖縄に行ったのはつき合ってた女の人に騙されたことがきっかけだったんだ。すでに漫画家としてデビューしてて、連載もいくつかこなしてて、まあまあ順調だったころの話だよ」

眠人がちらりと竜征を窺うと、その表情は曇っていた。竜征は両親の諍いを日常的に目の当たりにしてきたせいか、恋愛にまつわる話を疎ましがる。そのうち女子全般を嫌ったり軽蔑したりするようになるんじゃないか、なんて心配もしているのだ。

「おれが騙されたってのは二股だね。つき合って一年くらいのとき、ほかにもつき合ってる男がいるってわかったんだ。おれとしてはその女の人から結婚しようなんて迫られてたからその気になってたし、東京でいっしょに住む家だって探してた。けどほかにも男がいるひどい状況になってて、揉めに揉めた挙句にお別れして、すげえ傷ついてさ。それで心機一転を図って沖縄に移住したんだよ」

拝島が湖へ視線を移す。今年は空梅雨らしく今日も天気がいい。湖面が夕焼けのオレンジ色に染められている。湖を渡って涼やかな風が吹いてきていた。

「沖縄には三年ほど住んでたけど、そのあいだに出会ったのがハッピーだったんだ。仕事が忙しくなってきたからハッピーを連れて東京に戻ってきて、そしたらハッピーが都会の犬に会う様子が面白くてさ、それを漫画にしたらヒットしたってわけ」

「わたし、拝島さんが同じ市内に住んでるなんて全然知りませんでした。もっと早く知ってたらハッピーに会えたかもしれないのに」

さくら子の口調には後悔がにじんでいる。

「ハッピーが生きてたころって、さくら子ちゃんは幼稚園生とかだろう。会ってもわからないんじゃないかな」

　拝島が目を細めて笑う。

「でも一度は会ってみたかったです」

「そうだな、おれもハッピーをみんなに会わせてみたかったよ。あいつはおれにとっては最高の相棒だったし、子供みたいな存在だったからさ。人に裏切られてどん底の気分になってたおれが、苦しい時期を乗り越えられたのはあいつのおかげだったんだ」

　それから拝島はハッピーの最期について語ってくれた。犬としては大変に長生きな十七歳で天寿を全うしたという。拝島は高齢だったハッピーの介護のために連載にピリオドを打ち、その後の一年間はつきっきりだったそうだ。

　亡くなるまでの三ヶ月、ハッピーは立ち上がれなかったという。それでも旅立つ二日前までむしゃむしゃとごはんを食べていた。それが急にいらないと言い出し、とにかく眠り続け、拝島が寄り添って撫でてあげていると静かに息を引き取った。息を乱したり痙攣したりもせず、よだれの量が多いなと思っていたら亡くなっていたそうだ。まさに腕の中で旅立った形だったという。

「ハッピーの最期の瞬間、不思議な感覚になったんだよ。おれさ、君たちと同じ中学生のころ猫を飼ってて、その子は病気でたった一歳で死んじゃったんだ。あのときは大切にしてた子が遠いどこかに連れ去られたって思った。神様ってひどいなって。だけどハッピーのときは違ったんだよ。ハッピーの魂が体から離れた瞬間、おれの中に入ってきたように感じたんだ。おれたちはひとつになったんだよ。だから」

拝島は眠人たちに向き直り、自らの胸を手のひらで叩いた。

「ハッピーはいまここにいると思うんだ」

大の大人が恥ずかしげもなくこんなことを言うんだ、と眠人は斜に構えて話を受け流そうとした。しかしそんな態度は間違いだとわかってはいた。

大人がこれほど実感のこもった言葉を伝えてくれたのは、初めての経験だった。父の直彦でもなく、学校の先生でもなく、拝島が初めて。命の宿った言葉を聞いて、どう受け止めたらいいかわからなくて、斜に構えて逃げようとしてしまった。そんな自分が情けなく、急に恥ずかしくなった。

隣にいるさくら子は泣いていた。ハッピーの最期が悲しかったのかもしれないし、拝島の言葉に胸を打たれたのかもしれない。竜征はなぜか挑むような目を拝島に向けていて、静かな声で尋ねた。

「ハッピーのためにも漫画の続きは描かないんですか。ハッピーという拝島さんにとって大切な犬が、この世界に生きてたことをみんなに知らせるために」

「うん、そうだね」

拝島が穏やかに返す。少しばかり言葉を探すように黙ってから、やさしい口調で語り出した。

「続きを描くように勧めてくれた人はたくさんいたんだよ。漫画のモデルだったハッピーがこの世にもういないことは、そもそもどこにも発表していないから、インターネット上でお知らせを流したほうがいいって人もいた。人気商売という仕事柄、注目は浴びたほうがいいからっていう理由でね。なんだったらハッピーが旅立つまでを漫画で描いたほうがいいと助言してくれる人だっていたよ。ハッピーとの出会いや日常を描いてヒットしたんだから、死んでしまったことも描くべきだって。描けないなら覚悟が足りないって言われた。でもおれはネットで知らせるのも、漫画にするのも、いやだったんだよね」

「どうしてですか」

さくら子がハンカチで目頭を押さえながら尋ねる。

「インターネット上のニュースとしてや悲しい別れ話として消費されるのがいやだったし、別れを漫画で描いてお金に換えるのもいやだったんだ。ハッピーのことは自分の心の中にありさえすればいいと思ったんだよ。本当のことは心の中にあればそれでいいんだ」

拝島は強く言いきったあと、照れくさそうに後頭部を掻いた。

「それがいま漫画を描いていない理由なんですか。十年も描かなかった理由なんですか」

竜征が申し訳なさそうに尋ねた。拝島は驚きの表情を浮かべ、それから感心したというふうに二度うなずいた。

「竜征君って元気なタイプかと思ったら、冷静に分析もできるんだね。その質問に対するおれの答えはノーだよ。おれがいま描いてないのは、実は描けなくなっちゃったからなんだ。正確に言えば、描きたいという意欲がなくて描いてないんだよ。理由は満足してしまったからって言ったらいいかな」

東屋で口にしていたのと同じ言葉が出てきた。

「満足ですか」

眠人が首をかしげると、拝島は大きくうなずいた。

「くり返しになるけれど、ハッピーがこの世を去ったときおれとひとつになった感覚があったんだ。ハッピーが成仏したその瞬間、おれも成仏したような感じがあって、欲望とか欲求とかがなくなっちゃったんだな」

「成仏」とさくら子が不思議そうにつぶやく。

「漫画家もそうなんだけどね、歌手とか絵描きとか小説家とか俳優とか表現に携わってる人間は欲がなくちゃ駄目なんだ。いいものを作りたいとか、誰もたどり着いてないレベルまで届きたいとか、そういった欲がその人を前進させるんだ。でもおれはそういう欲がなくなって立ち止まってしまったんだな」

拝島が連れてきた犬の飼い主たちは、誰もが拝島を敬っているように見えた。そのうえで気遣いのようなものが見て取れた。あれは拝島が漫画を描けなくなったことに対してだったのかもしれない。だからみんな眠人たちに拝島が漫画家であることを教えてくれなかったのだろう。

「でもさ」

ぽつりと拝島がこぼす。眠人も竜征もさくら子も次の言葉を待った。

「でも十年ぶりに漫画を描いてみようって気持ちになったんだ」

「本当ですか！」

さくら子が祈るように手を組み合わせ、目を輝かせる。

「なにを描くかは迷い中だよ。描いたものが世に出るかもわからない。ただね、また描きたいと思えたのは君たち三人のおかげなんだ。本当に感謝してる。ありがとう」

拝島が深々と頭を下げた。子供に対してするお辞儀ではなかった。ウォーキングしている人や自転車に乗っている人が、不思議そうな視線を残して通り過ぎていく。眠人は慌てて拝島に声をかけた。

「いえ、ぼくたちはなにもしてないですよ」

顔を上げた拝島はきっぱりと首を横に振った。

「貯金がだいぶ減ってしまって工場で働き始めたんだけど、半年ほど前に公園を突っきったら家に早く帰れると気づいて、そのときに眠人君たちを知ったんだ。君たちをデッサンさせてもらって、さくら子ちゃんを含めた三人が成長していく姿を描いてたら、デッサンした絵たちが勝手に動き出しそうな気配があってさ。物語が始まりそうな予感があったんだよ。この感覚は久々でね、また描きたいって思えたんだ。だからきっかけをくれた君たちには感謝しかないんだよ」

拝島は何度も礼を述べ、満足そうな足取りで帰っていった。その背中が夕闇に消えるまで眠人たちは並んで見届けた。そよぐ風が気持ちいい。出会いの風が吹いたんだ。そう思った。

堤防の階段を下る。竜征が愉快そうに切り出した。

「びっくりの連続だったな」

「ぼくはまだ頭の中で整理できてないよ」

眠人の言葉に竜征もさくら子もうなずく。

「拝島さん、やさしい人だったね。ハッピーのために連載をやめてたなんて知らなかった。漫画を読んでたときに想像してた作者のイメージ通りだったよ。初めて会ったとき、あやしいおじさんだなってちらりと思っちゃったこと、わたし反省してる」

さくら子は萎れるように肩を落とした。「はは！」と竜征が楽しげに笑って続ける。

「それはしかたねえよ。おれも眠人も思ったことだからさ。それより拝島さんって、本当のことを話してるって感じがして好きだな」

竜征は中学生になってからというもの、好きなものごとについて語らなくなってきていた。心の内を見せない。だから久々の表明を聞けてほっとした。さくら子がおずおずと言う。

「わたしね、『ハッピーの冒険』を描いてた拝島オサム先生が、連載が終わったあとどうしてるかネットで検索したことあったし、モデルとなったハッピーがその後どうなったか調べたこともあったんだ。でも見つからなかった。それがこんなそばに住んでて、わたしたちと関わってたなんて信じられないよ。奇跡ってあるんだね。びっくりとわくわくで今夜は眠れそうにないな」

「今日なんじゃないかな、眠人」

ふいに竜征が提案してきた。さくら子に見せる例のあれについてだろう。眠人は空を見上げて答えた。

「そうだね、今日がいいね」

「なあ、さくら子。急で悪いんだけど、このあと夜の八時にいつもの東屋に来られるか」

竜征の質問にさくら子は目を見張って驚いた。しかし食べ物をのみこむかのようにうなずく。

「八時だね。パパとママを説得してみる」

「びっくりするぞ。おれも眠人にびっくりさせられたからな」

ご満悦な様子で竜征は残りの階段を駆け下りていった。その背中を追いながら眠人としては少しばかり不安になる。

竜征にサプライズをしかけたときは問題なかった。けれど今回はさくら子だ。あれがいる暗い林までどうやって彼女を連れていったらいいのだろう。

約束の八時ぴったりにさくら子は緊張の面持ちでやってきた。乗ってきた自転車を東屋の外に停めると、懐中電灯を手に「お待たせ」と小声で中に入ってくる。一度家に帰ったので制服から私服に着替えていた。シャツの形をした水色のワンピースを着ていて、腰のあたりがゆるやかに細くなっている。なんてことないシンプルなデザインだけれど、かえって彼女のスタイルのよさを際立たせ、大人っぽく見えてどぎまぎする。

「じゃあ、さっそく行こうか」

竜征が意気揚々と公園のパークセンターの裏に広がる林へ向かっていく。さくら子がおどおどしながら続き、眠人は一番後ろを歩いた。林の入口の五メートルほど手前で竜征が立ち止まり、さくら子に振り返る。

「さくら子、いまから林の中に入るから懐中電灯は消してくれ」

「え、真っ暗になっちゃうよ」

「真っ暗じゃなきゃ駄目なんだ。それからさくら子はここから目をつぶって歩くこと。

おれたちが目を開けていいって言うまで開けちゃ駄目だぜ」

「ほんとに？」

さくら子は林のほうへと向き直り、恐る恐るというふうに見上げた。林は高い杉が居並び、真っ黒な崖が立ちはだかっているかのようだ。

「無理だよ。こわいよ」

「目をつぶってくれないとサプライズにならないんだよ。おれも眠人に目をつぶれって言われてそうしたんだから」

「けど目をつぶったら歩けないよ」

「誘導してやるから大丈夫だって。林に入るとすぐに細い川があるだろう。その橋の上まで歩けばいいんだ」

「川のそばなんて余計にこわくて目をつぶれないよ」

眠人が心配していた通りの展開になってしまった。あれがいる小川までさくら子をどうやって連れていくのか、竜征と前もって相談しておくべきだった。

竜征にサプライズをしかけたのは去年のこと。あのとき竜征は目をつぶって歩き、難なく橋までたどり着けたのだ。

「困ったなあ」と竜征が腕組みをする。

「だったら手を引いていってよ。そうしてくれるならわたしも我慢して目をつぶるよ」

さくら子は眠人と竜征へ両手を差し出してきて目をつぶった。これ以外の方法では林には行かないといった強情さを感じさせつつ。さくら子の頑固なところが厄介な場面で発揮されてしまった。

手をつなぐなんて面倒なことになったぞ。眠人は大きなため息をつきそうになり、まずいと思ってそっと吐いて逃がした。

あいも変わらず人の肌に触れるのが苦手だ。年々ひどくなっていて、服の上からでも触れられるのはいやだし、触れたくもない。

だから体育の時間に行われる組み体操が嫌いだ。しな垂れかかってきたりプロレス技をしかけてきたりするクラスメイトも迷惑だ。人が集まって密になっているところは避けている。満員電車なんてもってのほかだ。ほかの乗客に触れたくなくて身をよじり、気づけば奇妙なポーズで吊り革につかまっている。

周囲に手ごろな木の枝でも落ちていないかな。さくら子につかませて連れていけばいい。眠人が足元を探そうとしたそのとき、竜征がさくら子の手を取った。あまりにも意外な行動で、突っこみを入れればいいのか、見過ごしたほうがいいのか、迷うばかりで硬直してしまった。竜征はさくら子の空いている左手を握れと目で訴えてくる。

やだよ。顔をしかめて竜征に伝えた。竜征はややおどけた感じの怒りの表情を作り、顎をしゃくって握れと要求してくる。

「どうしたの」

目をつぶったままさくら子が疑問の声を上げた。眠人はすかさず言った。

「誘導するのは竜征ひとりでいいんじゃないの」

「え、ふたりで連れてってよ。眠人君がこっそり脅かしてきたらこわいもん。わたしお化け屋敷もこわくて入れないんだからね。ふたりじゃなきゃ駄目だよ」

　さくら子が目をつぶっているのをいいことに、竜征は声を出さずに顔だけで大笑いしてみせた。

　しかたがない。観念して手を伸ばした。さくら子の左手を掬(すく)うようにして取り、やんわりと握る。ぞぞぞっと悪寒が走ることを覚悟して身を縮こめる。しかし悪寒はやってこなかった。

　あれれ、どういうことだ。

　拍子抜けしていると竜征が号令をかけた。

「行くぞ」

　さくら子を真ん中にして林へ向かう。眠人は呆然(ぼうぜん)とした心地で歩いた。手の中のさくら子の手はすべすべしている。どちらかと言えば冷たい。つるんとした花瓶に触れているかのようだ。嫌悪感はまったくない。

「こんなふうに手をつないで歩くなんて幼稚園以来かも」

はしゃぐさくら子の横顔を盗み見る。暗いのがこわいなら薄目を開けて前を確認すればいいのに、ばか正直に目を閉じている。ずるをしない子なんだな、と見直す。

「このへんでいいだろう。さくら子はまだ目を開けるなよ」

竜征が橋の真ん中で立ち止まった。さくら子が手を放さないものだから、つないだまま彼女の立ち位置を調整する。小川の川幅は三メートルほど。橋は短いながらもそここ高く、下を覗けば真っ暗だ。

三人で手をつないだまま下流へ向いて並んだ。欄干のぎりぎり手前まで歩を進める。公園内の街路灯はみな遠く、あたりは闇に包まれ、木々のあいだからかすかに見える夜空でさえ明るく感じられた。

「さくら子、目を開けていいぞ。今日は大当たりの日だな」

はっとさくら子が息をのむ音が聞こえた。眠人の手をぎゅっと握ってくる。

「蛍」

そのひと言だけでさくら子は黙った。ざっと三十匹はいる。黄緑色の光が明滅し、数匹が頼りなげに中空をさまよう。熱のない光が乱舞する様子は、何度目にしても幻想的でうっとりする。

一匹が橋の下からふわふわと浮かび上がってきた。眠人とさくら子のあいだをすり抜けていく。それをさくら子が体をよじって目で追いかけた。蛍のささやかな光が彼女の瞳を、鼻筋を、頬を、唇を、髪の毛を、ほんのわずかだけ闇から浮かび上がらせた。光沢を宿せるすべてのものを輝かせていった。

「ここで蛍を見られるの知ってたか」

竜征の質問にさくら子は首を横に振り、なぜか囁き声で答えた。

「知らなかった。びっくりした。それにすっごくきれい。最高だよ。感激しちゃった。連れてきてくれてありがとう」

さくら子へのサプライズが成功して竜征はご満悦だ。

「おれも眠人に教えてもらったときはびっくりしたよ。いつも来てた公園だし、小川の上には西武線だって走ってるのにさ」

「わたしね、パパからむかしは蛍がいたって聞いたことがあったんだ。たっちゃん池のほうだけど」

上流にたっちゃん池と呼ばれる貯水池がある。小川はそこから流れ出たものだ。

「蛍がいたのはパパが子供のころの話らしくてさ、わたしも蛍が見たくてインターネットで検索したんだ。でも東京のこのあたりじゃ観賞スポットが見つからなかった。ここらにはもういないんじゃないかってパパも言ってた。小さいころからこの街に住んでるパパが言うんだもん、いないって思いこんでた」

眠人が蛍に気づいたのは去年のことだ。夜八時を過ぎているのに林へ向かう家族を見かけた。カブトムシやクワガタを捕まえに行くには季節が早すぎる。手ぶらなのもあやしかった。家族は見かけてからだいぶ時間が経ってから、東屋のほうへ戻ってきた。きれいだったね、なんて言い合いながら。不思議に思って林へ足を運び、蛍がいることに気づいた。

「眠人君と竜征君といっしょにいると奇跡みたいなことばかり起こるよ。この蛍たちも、拝島さんのこともさ。ふたりともすごいね」

褒められて心がくすぐったくなった。竜征も気恥ずかしいのか、「ていうかさ、さくら子はなんで小声で話してるんだよ」などと話題を変えようとしている。

「だって大きな声を出すと蛍が逃げちゃう気がして」

「なるほど」

納得したのか竜征も声のボリュームを下げる。

「蛍って聴覚があるのかな」

眠人が疑問を口にすると、竜征もさくら子もまったく同じタイミングで「さあ」と首をひねった。完全にシンクロしていて笑ってしまう。竜征もさくら子もそのおかしさに気づいたらしい。これまたふたり同じタイミングで笑い出した。

三人で手をつないだまま声を押し殺して笑った。たいして面白いできごとだったわけでもないのに愉快でしかたがない。

どれだけ覚えていられるだろうか。眠人は笑いながら考えた。自分はこの素晴らしい夜をどれだけ覚えていられるだろう。

大きく息を吸って目を閉じた。杉林の香りがする。ひそやかに流れる小川の音が聞こえる。さらに耳を澄ますと風に揺れる下草の存在に気づく。目を開けたら光を放つ蛍たち。その光は彼らの生きている証しに見えた。儚（はかな）い光なのに圧倒される。横を向いたら、声を出さないようにと笑いを噛み殺している竜征がいる。手をつないでいるさくら子は、体をくの字に曲げて笑っていた。

すべて覚えておこう。五感の全部を使って覚えておきたい。いま手の中にあるさくら子の華奢（きやしゃ）な手もすべて。もしこの夜のできごとを抱きしめてさえいれば、これからさきどこまでも歩いていけそうな気がした。たとえそれが明るい道でないとしても。

ざわめきの中、壇上へ出ていく。体育館には同学年の生徒が集められ、パイプ椅子にずらりと座っている。ひとクラスおよそ三十三人でそれが四クラス。こんなにもたくさんの視線が集中する中で演奏するのは眠人も久しぶりだ。ふわふわとして落ち着かないような、でも胸の奥で興奮の火がちろちろと燃えているような、心地よい興奮に包まれていた。

いつもなら校長先生の指定席となっている演台が片づけられ、壇上は広々としていた。

眠人は中央に立ち、続いて登壇してきたさくら子に振り返る。三味線を抱えてやってきた彼女は表情が硬い。けれど目が合ったら笑みを浮かべた。

司会進行役の女子生徒がマイクで演奏する曲の紹介をする。『じんじん』を童謡と伝えたのは眠人だけれど、沖縄出身のミュージシャンが好んで演奏する曲であることも補足しておけばよかったと後悔する。

「それでは二組の浅倉眠人君、遠山さくら子さん、三組の星野竜征君による演奏です。どうぞ」

眠人は立ったまま三線を構え、さくら子は用意されたパイプ椅子に座って三味線を構えた。竜征が太鼓のバチを打ちつけて、ドラマーがカウントを取るみたいにかけ声を発した。

「あワン、ワン、ワンワンワンワン」

「ちょっと待って。それじゃ演奏を始められないじゃん」

第一音を鳴らす前に眠人が突っこみを入れてストップをかける。聞く態勢となっていた生徒たちがずっこけた。竜征が不服そうに抗議してくる。

「なんで止めるんだよ」

「そこは普通、あワン、ツー、ワンツースリーフォーでしょう」

「いいんだよ、おれたちは犬のバンド、ハッピードッグスなんだから。おれは犬、おまえも犬。だからカウントはワンワンワンでいいんだってば」

あほなことを言い出したぞ。そう思いつつも悪ふざけを試みる竜征は好きだ。小学生のころの自由奔放な竜征が帰ってきたみたいでいい。

「ハッピードッグスってなんだよ」

聞き返してはみるけれど、竜征からは演奏前にアドリブのおふざけを入れると前もって聞かされていた。「ただ演奏したって面白くないだろう?」だそうだ。クリス先生のお別れ会ということで沈んだムードで進行していたのに、その空気をいっきにぶち壊しにかかるつもりらしい。

「おれたちは犬なんだよ。これから犬の犬による犬のための音楽をやるんだ。おれは犬のジョン。おまえの名前は」

竜征がバチで眠人を指差してくる。

「じゃあ、ポール」と犬っぽい名前をひねり出す。

「おまえは」と今度はさくら子をバチで差した。

「チェリーかな」

頬を赤く染めながらさくら子が答えた。

緊張がほぐれてきて、パイプ椅子に座る生徒の顔がよく見えるようになってきた。つまらなそうにしているのはだいたい田中のグループに属している連中だ。そうしたやつらが目に留まるとちょっと傷つく。でもどんな余興が始まるのかと好奇心に満ちた瞳をしている生徒のほうが圧倒的に多かった。

教員席で中腰になったり座ったりしているのは担任の小倉先生だ。眠人たちがなにかやらかしそうではらはらしているのだろう。けれど知ったこっちゃない。送られる側のクリス先生が、誰よりも楽しそうに眠人たちを見ていた。今日、クリス先生が着ているTシャツには「一期一会」と書かれている。今日のお別れ会のために手に入れたものらしい。

「楽しむ準備はできてるか！」

竜征が壇上からロックスターのように叫ぶ。「イエーイ」とまばらな声が返ってきた。

「クリス先生とのお別れは寂しいけど、楽しく送り出そうぜ」

「イエーイ」

さきほどよりは返事の声は増えている。

「ワンワン、ワワワワ、ワワワワン！」

突然、竜征がコール・アンド・レスポンスのかけ声を犬語に切り換えた。それが面白かったらしい。「ワンワン、ワワワワ、ワワワワン！」とたくさんのレスポンスがあった。

「ワーン、ワワワン、ウォーン！」

「ワーン、ワワワワン、ウォーン！」

気づけばほとんどの生徒が声を上げている。調子に乗ってのばか騒ぎはみんな好きなのだ。眠人もさくら子も笑いながらいっしょになって犬語で叫んだ。そして叫びながら竜征がなぜ犬語にしたのかその狙いに気づく。演奏を聞く生徒たちを犬にしてしまいたかったのだろう、犬相手の演奏なら緊張しないさくら子のために。

「会場が温まってきたな。準備はいいか」

竜征が確認してくる。眠人は「オーケー」と応じた。さくら子は大きくうなずいた。本番前は「緊張する、緊張する」ともらしていたけれど、以前のように演奏中に硬直することはもうないだろう。公園の東屋ではどれだけ人が集まろうとも無難に弾いている。緊張をうまく楽しめるようになったみたいだ。

万が一ってこともあるので、眠人は小声でさくら子に尋ねた。

「大丈夫？」

「うん、大丈夫。眠人君と竜征君といっしょだからね。蛍をいっしょに見たわたしたちなら絶対にいい演奏になるよ」

さくら子の言葉は自信にあふれていた。竜征が太鼓のバチを打ち合わせ、カウント出しをする。

「あワン、ワン、ワンワンワンワン！」

いままでで一番テンポの速い『じんじん』となった。でも練習を積み重ねてきたおかげで問題はない。さくら子も大きなバチを見事に操り、細やかな音をなめらかに紡ぎ出していく。三人で手をつないで蛍を眺めた夜が、演奏にいい影響を与えているようだ。あの夜の無邪気さが演奏に宿っていた。

竜征もさくら子も歌詞を覚えたので三人で歌う。さくら子は一オクターブ上だ。歌い手が増えると、お祭りのお囃子のような華やかさとにぎやかさが生まれてくる。速弾きのせいで高揚感とうねりも生まれる。気づけば笑顔で歌い、三線を弾いていた。竜征もさくら子も笑っている。こんな楽しい演奏は初めてだ。

蛍を観賞したあの夜、さくら子を家まで送った。さくら子はひとりで帰れると主張したけれど、ひとりで帰すのは気が引けた。眠人と竜征は自転車のふたり乗りをして、さくら子の自転車と並走して送り届けた。その帰り道、眠人は荷台に跨った状態でペダルを漕ぐ竜征に言ってみた。

「さくら子と手をつないでやるなんて竜征にしては珍しかったじゃん」

竜征がためらうことなくさくら子の手を取ったのが、意外で引っかかっていた。

「そうだな。珍しいかもな」

挑発的な言い方をしたのに竜征の答えは素直だった。

「どうしたんだよ。らしくないな」

しばらく黙々と漕いだあと竜征は答えた。

「おれさ、人を信じるのって苦手なんだよ。特に女子は駄目。うちの母ちゃんを見てるせいだってわかってる。だから信じて裏切られるくらいなら、最初から信じないほうがいいなって思ってるし、こっちから嫌ってるってアピールしたほうが楽だと思ってた」

ゆるやかなのぼりに差しかかった。竜征は立ち漕ぎとなる。体を左右に振り、息を切らし、途切れ途切れに言う。

「けど、さくら子なら、信じてもいいかなって思ったんだ。男子とか女子とか、関係なく、さくら子なら。おまえもそうだろう？」

眠人が他人の肌に触れたがらないことを竜征も知っている。でも眠人はさくら子と手をつないだ。手をつないでも平気だった。彼女は特別だと思った。そのことを言っているのだろう。

「さくら子は言ってたよね。ぼくたちといっしょにいると奇跡みたいなことが起こるって。でもさくら子もそうだよね」

肌に触れてもぞぞぞっとこない子。竜征に心境の変化をもたらした子。さくら子だってじゅうぶんに奇跡を起こしてみせた。

「すげえなあ、さくら子」

竜征がぐっとペダルを踏みこみながら叫んだ。眠人も負けずに叫んだ。

「すごいよ、さくら子」

演奏はあっという間に終わった。拍手喝采の中、眠人と竜征は手を振りながら舞台の袖へはけた。入れ替わりに二面の箏が壇上に運ばれ、さくら子が座っていたパイプ椅子が片づけられる。

さくら子の二重奏のパートナーである藤池が、上手から緊張の面持ちで入ってきた。ふたりは正座をして箏を弾くという。用意された座布団にふたりが座ると、体育館内の空気がお祭り騒ぎから厳かなものに変わった。ふたりの緊張感が伝わったみたいだ。

箏を弾くさくら子を初めて見る。箏での演奏もうまくいきますように。過去の失敗の記憶を断ち切れますように。舞台袖から祈るような気持ちで見守った。

体育館が水を打ったように静まり返ったところで、さくら子と藤池はその最初の一音を奏でた。あれこれ心配していたけれど無用だったようだ。さくら子は落ち着いた様子で弾いている。三線に慣れた眠人にしてみれば、絃が十三本もある箏を間違えずに弾けるさくら子には感心しかない。

次第に曲が速くなっていく。指先に白い象牙製の箏爪をはめたさくら子は、ためらうことなくその細い指先を走らせる。可憐な音が次から次へと生み出され、体育館を満たしていく。彼女の右手があまりにも速く、正確無比に動くものだから、右手が独立した生き物のように見えた。その生き物は軽やかに楽しそうに舞っていた。

演奏が終わり、盛大な拍手が起こる。尊敬の念が込められた拍手だ。さくら子と藤池が照れくさそうに立ち上がり、深々と頭を下げた。夢中で演奏をしていたためか、さくら子の頬は紅潮していた。

感激したらしいクリス先生が壇上へ駆け上がり、眠人と竜征も舞台袖から引っ張り出された。聞いていたお別れ会の段取りと違う。けれどクリス先生が演奏への礼を述べてくれるので恐縮して聞いた。

お返しの言葉を述べるためにさくら子は前に出され、マイクを渡された。クリス先生の直々のご指名だ。二組のクラスメイトたちがざわつく。急に言葉を求められたら泣き出すに決まっている。みんなそう考えたのだろう。

客席を見たら田中は身を乗り出して薄笑いを浮かべていた。あいつはきっと期待している。さくら子が言葉に詰まって泣き出すのを。眠人や竜征とつるむからいやな思いをするんだぜ、なんて嫌味を言うのを楽しみにして。

しかしマイクを握ったさくら子は、堂々とした様子で背の高いクリス先生を見上げた。英語を教えてくれた礼を述べ、彼女の両親が営む蕎麦懐石の店へ通ってくれた礼も述べる。お別れ会で演奏する機会をもらえたことへの感謝も伝えた。口調はなめらかで、生徒たちから拍手が起きる。

「それでね、クリス先生。今日のために練習をしてたら、日本の慣用句でちょっと違うんじゃないかって気づく言葉があったんですよね」

「どの言葉？　ぜひ教えてほしいです」

四文字熟語や慣用句が好きなクリス先生が前のめりで質問する。

「朱に交われば赤くなるって言いますよね。交わる友達や仲間によって、人はいいようにも悪いようにも影響を受けるって。わたしは悪いほうの意味で言われたんです、赤く染まるなよって。だけど違いました。泣き虫で空っぽで真っ白だったわたしは、赤ではないきれいな色に染めてもらったんです」

「それってどんな色かな」

クリス先生が興味津々で尋ね、さくら子は微笑んだ。

「ピンク色です。赤と白が交わったらピンク色になりました。それってわたしの名前にふさわしいきれいな桜色でした」

「なるほど勉強になりました」

教師であるクリス先生がかしこまって頭を下げたので、どっと笑いが起きた。続けてクリス先生は生徒たちへお別れの言葉を述べ始めた。さくら子が楽しげな足取りで眠人と竜征のもとへ戻ってくる。いたずらを成功させた子供みたいな笑みを浮かべる。目が合うとぺろりと舌を出してみせた。

第三章

購買部で売っているパンで一番好きなのは、スティック状のやや硬めのパンにクリームがはさんであるやつ。次はカレーパン。ともに人気商品なので四時限目が終わったらダッシュで買いに行く。

うちの高校はいわゆる便所スリッパを上履きとして採用している。走るには適していなくて、まっすぐ足を振り出せばスリッパは飛んでいってしまう。だから脱げないようにガニ股でパタパタと足音をさせて走る。気分は急いでいるペンギンだ。

なんとかゲットできて中庭のベンチに座った。飲み物は校内の自販機で売っている二百ミリリットルの牛乳だ。別に好きなわけじゃない。ペットボトルや缶の飲み物より安いから買っている。

「眠人、今日もいつものセットじゃん。毎日食べてて飽きないの?」

からかい口調でスミレが絡んできた。同じ二年A組の小田スミレだ。最近なぜかやけに馴れ馴れしい。

「別に飽きないけど」

「サンドイッチとかも売ってるでしょう。野菜ちゃんと摂ってる？」

「野菜は晩ごはんでけっこう食べてるからいいんだよ」

「ふうん」

疑わしげな視線を浮かべてスミレは隣に座った。手にしていた黄色の巾着袋からおにぎりと弁当箱を取り出す。

「ここで食べるのかよ」

「駄目？　わたしがどこで食べたって自由だと思うけど」

「そりゃあ自由だけど」

人目ってものがある。あのふたりあやしいな、なんて噂話がなによりも好きな連中もいる。そうしたことを気にしないのがスミレのいいところでもあるのだけれど。

タイミング悪くさくら子が渡り廊下を歩いてきた。C組のクラスメイトの女子に囲まれ、北校舎へ向かっていく。こちらに気づき、微笑みを投げかけてくる。その様子に気づいた男子生徒たちがうらやましげな視線を浴びせてきた。そうした視線に気づかないふりをしつつ、手を挙げてさくら子の微笑みに応じる。さくら子は友人たちに押し出されるように渡り廊下を渡っていった。

「さくら子ちゃんって姫だよね、姫」とスミレが感心する。「かわいいし、スタイルいいし、性格いいし。あの子のキュートさとチャーミングさを褒めるにはわたしの語彙力じゃ足りないよ」

「大袈裟だな」

「とにかく姫だよ。わたしの人生であれほど姫感のある子に会ったことないよ」

「人生ってまだ十六歳のくせに」

「あ、わたし十七になった」

「そっか、おめでとう」

「あはは、まさか眠人におめでとうって言ってもらえるなんてね。まあ、気持ち的にはまだ二歳なんだけど」

「は？」

「わたしは生まれてからまだ二年しか経ってないってこと」

意味不明なので「はあ」と曖昧な返事をしておく。スミレはときおり理解不能なことを口走る。立ち入ったことを聞くと面倒になる気がするので、いつも適当に聞き流している。

「わたしまだお子様なのよ」

スミレはまた意味不明なことを言い、おにぎりを頬張った。それを横目に見つつ、さきほどのさくら子の様子を思い返した。

最近、髪を切ったらしい。肩までつかないほどの長さになった。きれいにそろえられた毛先が軽やかに揺れていた。スタイルはあいかわらず抜群だ。顔も小さくて友人たちの三分の二ほどしかない。クリス先生のお別れ会でいっしょに演奏した中学生のころは顔立ちにまだ素朴さがあった。でもいまはすっかり垢抜けて、誰もがひと目見れば息をのむ。

「好きなんでしょう」

横顔にスミレの言葉が叩きつけられた。

「はあ？」

「眠人ってさくら子ちゃんのこと好きなんでしょう」

「違うよ。なんだよ急に」

「隠したって無駄ですう。証拠はあるんだからね」

「証拠ってなに」

「ないしょ」

「それじゃあ話にならないじゃないか」

「言いたくなったら言うよ。いまは気分じゃないんだよね」

スミレは水筒を取り出し、蓋のコップに茶色い液体を注いだ。

「飲む？　麦茶」

にこにこと笑って差し出してくる。スミレと話しているとどうも調子が狂う。

「くれるっていうならいただくけど」

　コップを受け取り、ひと口飲んだ。冷えていておいしい。九月に入っても暑さはまだまだ厳しくて、下校中のアイスの立ち食いは当分やめられそうにない。

「もう一杯飲む？」

「ありがとう」

「その代わりと言っちゃなんだけど、わたしとつき合ってくれない？」

　唐突なひと言に盛大にむせた。危うく麦茶をスミレに吹きかけるところだった。

「な、なに言ってるんだよ。脈絡もなく」

「わたしの中では筋が通ってるんだけどな」

「いま言う場面じゃないだろう」

「言いたいときに言いたいことを言う。わたしは自分に正直でいたいんだよ」

「自分に正直ってよさそうに聞こえるけど、他人からしてみれば自分勝手でしかないからな。なにより思いやりがない」

「思いやりか。なるほど一理あるね。メモしておく」

　スミレは唐揚げを口に放りこんだ。冷ややかに言ってやる。

「メモするって言いながら唐揚げ食べてるやつが目の前にいます」

「心のメモに書いたんですう」

ああ言えばこう言う。スミレは口の減らないやつなのだ。

「そう言えば、さくら子ちゃんって好きな人がいるって本当？」

「また脈絡がないぞ」

「それって彼氏だった人なんでしょう。同じ中学校だったって子から聞いたんだけど」

スミレは無視して続けた。

「よく知ってんな。でもなんでおれに聞くんだよ」

「だってその子が言うには、さくら子ちゃんの元彼って眠人の親友だったって」

竜征の顔がよぎった。

「まあ、ね」

「でもその人、もういないって聞いたよ。なのにずっと好きなんてさ。さくら子ちゃんに告白して撃沈された男子、何人いると思う？」

「知らないよ、そんなの」

「十九人だって」

ばかばかしくて笑ってしまった。

「誰がカウントしてるんだよ。さくら子が自分で言うはずないから、どうせ誰かが流してるデマだろう」

「かもしれないけどそのくらいいるって話だよ。眠人はなにか聞いてないの」

「だからなんでおれに確認するんだよ」

スミレは不服そうに唇を尖らせた。

「だってさくら子ちゃんと会話してる男子って眠人くらいじゃん。ていうかさくら子ちゃんが話してて一番楽しそうなのは眠人だよ。さっきだって眠人に向かってスマイルを浮かべてさ」

「中学校の行事でいっしょに楽器を演奏したんだよ。そのときからの仲なの」

「さくら子ちゃんって男子女子関係なくいまいち壁があるんだよね。親しくなれるけど心は開いてくれないっていうか。どうぞどうぞって家に上げてくれるのに、絶対に見せてくれない部屋がある感じ」

うまいことを言う。スミレの人を見る目には素直に感心する。

「さくら子ってつながりたくないやつだからな」

「つながりたくない？」

「みんなSNSとかですぐつながろうとするだろう。ハッシュタグつけて趣味が合いそうな人とつながったりグループを作ったり。そういうの得意じゃないのがさくら子なんだよ」

「変わり者なのかな」

「おまえが言うかよ。さくら子は自分からつながろうとしなくて、ずっと受身なの。たぶん好きなものについてあれこれ他人に言われたくないから、誰ともつながろうとしないんだと思うよ」

さくら子は自分の好き嫌いを明かさない。どんな生活を送っているのかも口にしない。告白する男子が多いことは知っている。そういったやつらからしばしば質問を受けるからだ。

「さくら子ちゃんってどんな音楽が好きなの」

「土日なにやってるの」

「趣味ってなに」

つながりたい連中からしてみれば、さくら子は秘密主義に見えるかもしれない。とはいえ、さくら子は上手に友達づき合いをしている。もともと人柄がいいし、裏表もない。共通の話題なんてなくたって、じゅうぶんに好かれる。だから学校で彼女を見かけるといつも人に囲まれている。

スミレは弁当を食べ終わったようで、巾着袋に弁当箱をしまった。

「ところで眠人は大丈夫？」

立ち上がりつつスミレが尋ねてきた。

「大丈夫ってなにが」

「もういないさくら子ちゃんの元彼って、眠人の親友だったんでしょう。いなくなってつらくないの」

「うん、そりゃあ、まあね」

言葉を濁した。そしてスミレに少しばかり感謝する。竜征の件をオブラートに包んで尋ねてくれたことに。スミレはおかしな発言が多いけれど、ときおり異様なほどの気遣いを見せる。そこが面倒くさくても遠ざけられない理由だったりもする。つまりバランスが悪いだけで、いいやつなのだスミレは。

「ありがとうな」

「なんのお礼？　麦茶？」

「いろいろだよ」

にかっと笑ってスミレは去っていった。


金曜日なので学校から帰ったあと、すぐさま私服に着替えて家を出る。出る前に米を研ぎ、炊飯ジャーにセットした。直彦の晩ごはんのためだ。自転車に跨り、所沢を目指す。週末の金土日は駅前の繁華街にある沖縄料理店でアルバイトをしている。本来、うちの高校はアルバイト禁止。だからこっそりやっている。

アルバイト先のめんそーれ酒場は、琉球民謡の先生である宮里さんが紹介してくれた。浅倉家が経済的に楽でないと知った宮里さんが、めんそーれ酒場の店長である上原(うえはら)さんに話をつけてくれたのだ。宮里さんと上原さんは同じ那覇の出身で仲がいい。めんそーれ酒場では月に一度、民謡教室の生徒が生演奏のショーを行っていた。

　校則でアルバイトが禁止であることは、上原さんに伝えた。でも上原さんはだいぶてーげーなところがあって、沖縄独特ののんびりとした口調でこう言った。

「別にかまわないさぁ」

　てーげーとは沖縄の言葉で、突き詰めずにおおよそとか、適当といった意味だ。アルバイトができるかどうか張りつめた気持ちでいたものだから、上原さんのてーげー具合にはとても助けられた覚えがある。

　いまのところ時給は九百円。ひと月で五万円ほど稼げる。おかげで学生用の料金プランで格安のスマートフォンが持てた。お昼代も日用品も衣料品もバイト代から捻出している。十月に行く修学旅行の費用の積み立てもできた。

　アルバイトを始めてよかった点は経済面だけではない。自分で働いて稼げば、小学生や中学生のころに感じていた、金がないゆえの心暗さや卑屈さは薄まると知った。本来は親が教えてくれるものかもしれないけれど、そういったことは期待できないので致し方ない。

　めんそーれ酒場を紹介してくれた宮里さんにも、働かせてくれた上原さんにも、感謝しかない。恩というものを十六歳にしてきっちりと理解した。ふたりには本当に救われた。ふたりもまた素晴らしい出会いの風だった。

救われたと言えば、奈々子さんにも救われた。キャバクラで働いていた人で、直彦が入れこんでいた人。

中学生だったころ、直彦は酔うたびにぼやいていた。

「うちには高校に行かす金なんてないんだよ。中学を出たら働いてほしいわ」

直接言ってくるわけではない。缶ビール片手にテレビを見たままぼやく。それも聞こえよがしに。

聞かされるたびに目の前が暗転した。高校くらい行かせてくれよ、といった苛立ちが胸の中で膨らむ。どうして学校のみんなと同じ境遇になれないのか、情けなくてしかたがなかった。

「まともに育てられないのに、なんで産んだんだよ」

その言葉がいつも喉から出かかったけれど、揉めるのがいやで家を飛び出した。たとえ夜中でも。行き先はいつも公園だった。

直彦はそのぼやきを奈々子さんの前でもしたらしい。居酒屋でお酒を飲んでいるときだったようだ。ぼやきは奈々子さんの怒りを買った。直彦は頬を張られて帰ってきた。タオルで巻いた保冷剤を腫れた頬に当て、情けない声で報告してきた。

「奈々子ちゃんに叱られちゃったよ。高校くらいちゃんと行かせてやれってさ。奈々子ちゃんの前で言わなきゃよかったなあ」

その後も「ミスった」だの「ヤバいな」だのとつぶやいては、酒臭いため息をついていた。

奈々子さんは冬でもスウェットのパンツをはき、素足にピンクのサンダルで外出する。着るものに無頓着でだらしなくもある。直彦との約束もよくドタキャンしたし、言葉遣いも悪かった。でも子育てに関しては真面目だったと思う。子供が罹る病気や保育園の話題となると熱心に語っていたから。あまり会ったことがあるわけじゃないけれど。

最近、直彦の口から奈々子さんの名前をとんと聞かなくなった。キャバクラを辞めてしまったのかもしれないし、直彦とけんかでもしたのかもしれない。そもそも直彦自身が女性が接客してくれる夜の店へ飲みに行かなくなった。奈々子さんも一度くらいはめんそーれ酒場に来てくれたらいいのにな、なんて思う。あの人もまた自分にとっては必要な出会いの風だったのだから。

めんそーれ酒場でのアルバイト中はデニム地のエプロンをつける。ポケットには栓抜きとボールペンが入っており、注文を受けたらすかさず伝票をつけられるようにしている。

料理がおいしいためにめんそーれ酒場は毎晩満席だ。週末ともなると予約がないと入れない。お薦めの料理は、アグー豚のメンチカツ、島唐辛子入りの揚げ餃子、ラフテーチャーハン、ゆし豆腐蕎麦などなど。沖縄の料理ならばなんでもそろっていて、お客さんが言うには泡盛(あわもり)の種類も豊富だそうだ。

沖縄出身のお客さんからも評判がいい。店内には「まーさん」の言葉が飛び交う。おいしいという意味だそうで、「いっぺーまーさん」と笑顔を浮かべている。そうした笑顔を見ていると、自分が作った料理ではないのだけれど誇らしくなってくる。働いて人に喜んでもらう。そんなうれしさがあることを知って、自分も少しは大人に近づいているのかな、なんて考える。

またアルバイト後にいただくまかないも絶品だ。なかでもタコライスがおいしくて、絶賛したら山盛りで作ってもらえるようになった。空腹で公園をうろついていた小学生のころの自分に教えてやりたい。おまえは十六歳になれば腹がはち切れんばかりのうまいものを食べられるようになるんだぞ、と。

もちろんアルバイトはいいことばかりではない。いやな客に出会う日もある。注文の確認の声が小さかったために、「もっとしっかり声を出せや」なんて絡まれる。絡んでくるのはたいてい男性客で、同席している仲間が「やめとけよ」なんて諫(いさ)めてくれるのだけれど、アルコールは人のストッパーをはずしてしまうものらしい。

「止めるんじゃねえよ。おれはこのバイト君に社会勉強をさせてやってんだよ。ありがとうのひと言を言ってほしいくらいだよ。ほら言えよ、ありがとうございますって。ちゃんと声を張って言えってば」

テーブルにあるビールジョッキをつかみ、赤ら顔で睨んでくる男性客の頭に振り下ろす。椅子ごと仰向けに引き倒し、踵を腹に突き刺す。頭の中ではそれくらいのことをしている。

精一杯の笑顔で言って撤収する。

「ありがとうございます」

厨房に戻れば、ことの顚末を聞きつけた厨房スタッフたちが、よく我慢したと褒めてくれる。上原さんが揚げたてのサーターアンダギーを頬張らせてくれる。外はかりっと中はふわふわ。店内に流れる沖縄の音楽に慰められ、やさぐれていた気持ちが持ち直してくる。本当にいい店なのだ、めんそーれ酒場は。

アルバイト帰りは疲労困憊で、ぼうっとした状態で自転車のペダルを踏む。自転車の頼りないライトがアスファルトをぼんやりと照らす。

取り止めもないことが頭に浮かんでは消えていく。不燃物のゴミ袋を買い忘れた、見たかった歌番組があったのにな、今月は何回アルバイトに入ったっけ、月のそばに浮かぶ金星が大きく見える、さくら子はこの時間なにをしているだろうか。

思い浮かんだことに焦点を合わせないように努める。焦点を合わせて深く考えたところで、どうにもならない案件もあるからだ。だからみんな平等に浅く考える。

しかしつい焦点を合わせてしまう夜もある。考えちゃいけないとわかっているのに、目をそらせなくなる。そう、今夜みたいに。

踏み切り手前で急ブレーキをかけた。痛々しいブレーキ音が鳴り響く。

東京の隅っこにあるこの街は、夜になると人影が消える。電車だってめったにやってこない。踏み切り内を照らす白い明かりが舞台照明のように見え、舞台の中央まで自転車を進めた。

レールのさきへと視線を上げていく。レールはゆるくカーブを描いて闇の中へ吸いこまれていく。そのさきが本当にあるのかどうかさえ疑わしく感じられる。

自分はこれからどうやって生きていけばいいのだろう。

どうなってしまうのだろう。

漠然とした不安が、立ち塞がる闇の向こうからやってくる。自分を押し潰そうとしてくる。

いや、いまはなんとかアルバイトで食いつなげている。高校を卒業したら就職をして、貯金をし、まっとうな生活を送れるようになる。それまでの辛抱だ。そう心の声が励ましてくる。

けれどどうしたって疑ってしまう。実際にまっとうな生活が手に入るのだろうか。テスト期間が来てアルバイトの日数が減っただけで、金銭的に苦しくなるのが現状だ。ちょっと躓いただけで危うくなる生活を送っているわけだ。

嫌気も差してくる。なんとか苦境を抜けられたとしても、その後に手に入れるまっとうな生活を、未来とか幸福だなんて呼びたくない。そもそも自分と同じ十六歳が普通に送っている生活を、やっと手に入れるだけなのだ。

必死に生きてやっと普通になる。それが浅倉眠人の人生なのだろうか。こんなマイナスの世界を生き抜くために、自分は生まれてきたのだろうか。

やまない雨はないといった言葉をよく耳にする。明けない夜はないとも言われる。でも雨がやむ前に、あるいは夜が明ける前に、心がもたなかった場合はどうすればいい。雨の夜は心が重くなり、身体の感覚が薄くなる。心を抱えきれなくなって、体ごと闇に投げ捨てたくなる。

「駄目だ、駄目だ」

わざと声に出して言って、髪の毛を掻き毟った。このまま鬱々と考えていたら、レールの上に体を横たえたくなる。

スマートフォンを取り出し、時間を確認した。夜の十時二十二分。周囲が暗いのでスマートフォンの画面がまばゆい。もう帰ろう。自転車のペダルに足をかけた。

十六年しか生きていないけれどわかったことがある。希望と絶望はつながっている。希望の白から絶望の黒までグラデーションでつながっている。人はそのあいだを行ったり来たりしている。自分のような人間は暗い灰色あたりにいる。ときには明るい白へと近づく日もある。アルバイト代が入ったり、クラスメイトからいい意味で注目されたり、さくら子と話せたりした日は。

今日はだいぶ黒に近くなってしまった。理由は特にない。わけもなく黒へと沈んできた。そして理由がないからこそ厄介だった。虚無の黒い海がすぐそばに広がっているように感じられて、どうしようもなさに蝕まれる。

自転車を漕ぎ出す前にレールのさきをもう一度見た。

「おーい」

闇に向かって呼びかける。あの闇の中に竜征がいるような気がして。あいつは黒い闇へ落ちてしまった。十四歳では抗えなかったのだろう。選択する権利もなかった。選ばないことすら選べなかった。

「ぼくはまだここにいるよ」

ぼそりと言って自転車を漕ぎ出した。

家に帰ったら部屋は電気が消されて真っ暗で、直彦はいびきをかいて眠っていた。最近はパチンコも息抜き程度にしか行かず、仕事もサボらない。お酒の量も減った。心を入れ替えたというより、痛い目に遭って変化した。

三年前、働いていた工場でリストラに遭った。十二月いっぱいでクビを切られた。浅倉家には貯金などないから、直彦は慌てて働き口を探した。一月八日には働き手を募集していた工場の説明会に出かけた。しかし説明会と思って参加したところ面接も行われたという。そのまま入社の手続きを取り、一月の末から働き始めることになった。

働き口が見つかったのはありがたい。でも当てこんでいた失業手当をもらえなかった。早期に次の働き口が決まったためにもらえなかったのだ。一定期間、失業状態でないともらえないらしいのだけれど、直彦はそのことを理解していなかった。

失業手当はもらえないし、仕事のスタートは一月の末から。まるまる一ヶ月分の収入がなく、自転車操業状態だった浅倉家は赤字状態に陥った。

さらに働き始めたタイミングで溜まりに溜まっていた税金の督促が来た。それを無視していたら直彦は都庁まで呼び出されることになり、返済の計画を立てさせられ、払えなければ給与から引かれるといった契約書に判を押して帰ってきた。滞納金は八十万円。普通の家庭なら出せる金額なのだろうけれど、我が家においては体が震えるほどの大金だった。

あのころの生活には絶対に戻りたくない。食事はもやしと食パンばかり。パンツが破れても買う余裕がなく、靴底に穴が開いたら百円ショップで中敷を買ってきて接着剤で貼って塞いだ。電気代が払えずにしょっちゅう電気を止められ、ストーブの灯油を買うこともできずに夜は毛布にくるまってしのいだ。

いまはめんそーれ酒場のアルバイト代があるし、直彦が生活を改めたおかげで、極貧状況を脱しつつある。持ち帰り寿司店のまぐろ尽くしが、夕食のテーブルに並ぶ日だってある。けれど一般的な家庭の経済状態にはまだまだ遠い。

浅倉家は今後もこのおんぼろアパートに住み続けるしかない。ブランドものの鞄や時計を持つ日は永遠に訪れない。車を購入する日も来ない。きっと海外旅行を経験しないまま死ぬ。

こういった限りなく限界に近い経済状態の家は、世の中にどのくらいあるのだろう。飛び抜けた貧乏はテレビで見る。ニュースにもなるし、バラエティ番組のコンテンツにもなる。

でも我が家のように、底辺で生殺しのままぎりぎり暮らしている家は、この国にどれくらい存在するのだろうか。浮上もできず、沈みきって社会の助けを受けることもなく、とにかく人間らしい豊かさを剝ぎ取られ続ける人生を送る人は、どれほどいるのだろう。

我が家は電気料金もガス料金も税金も、滞納を減らすための戦いを強いられている。毎月あと五万円の収入があったら救われるのに。でもそんな都合のいい話はないし、国が救ってくれるわけでもない。

希望と絶望はグラデーションでつながっている。絶望の黒に陥る前でなんとか踏みとどまる生活を、いったいいつまで続けなくてはならないのか。

疲れて泥のように眠る直彦が目に入る。貧しいのは真面目に働いてこなかった直彦のせい。生涯設計をきちんと立てなかった人間のせい。すべては選択の結果なのだ。世間の人はそう言うだろう。

でも本当に一個人ばかりが悪いのだろうか。直彦は軌道修正した。サボらなくなった。パチンコもそんなにしていないし、お酒もあまり口にしない。正しい選択をしている。なのに普通レベルの生活に届かない。

手遅れだというのか。だったら息子である自分はどうなるのか。親が選択し直しても手遅れなら、そのもとで生きる子供はどう足掻(あが)いても泥沼から這(は)い上がれないじゃないか。眠る直彦が自分の成れの果てのようで途方に暮れる。

カレーパンに齧りつこうとしたら、座るベンチの隣にスミレが腰を下ろした。

「ねえねえ、さくら子ちゃんって芸能事務所からスカウトされてるって本当？」

「そうみたいだな」

「でも断ってるんでしょう？」

「よく知ってんな。驚きだよ」

スミレは指でVサインを作り、巾着袋から弁当箱を出した。今日も隣で昼食を取るつもりらしい。続いてアルミホイルに包まれたおにぎりが出てくる。

「眠人、なんか今日は暗いね」

「そうかな」

とぼけてみせたが、答えた声は沈んだ響きを帯びていた。

「食べる？」とスミレがおにぎりを差し出してくる。

「いや、いいよ。スミレが食べるのなくなっちゃうだろう」

「わたしはダイエットが必要だからさ」

「必要ないよ。ちゃんと自分で食べなよ」

スミレは唇を尖らせ、おにぎりのアルミホイルを解いた。大きく口を開けておにぎりに齧りつく。

「自分で作ってんのか」

気遣ってくれたスミレに悪くて、なるたけやさしく尋ねた。

「違う違う。おばさん」

「お母さんじゃなくて？」

「わたし、いまおばさんちで世話になってるんだ」

「ふうん」

そう言えば春帆もアイドルを目指して上京し、親戚の家で世話になっていたっけ。人にはそれぞれ事情があるってことなんだろう。

「なんで断ってるのかな」

スミレがもぐもぐと口を動かしながら首をかしげた。

「なんのこと」

「さくら子ちゃん、どうしてスカウトを断ってるのかな」

「さあ、ね」

質問したことはある。さくら子は笑って言っていた。自信がないから、と。

「いろんなところからスカウトがあるわけでしょう」

「そうみたいだな」

「すごいなあ」

そう言ってスミレはおにぎりを口いっぱいに頬張った。彼女は小柄で身長が百五十センチほどしかない。でも運動神経がよくて体育の授業では大活躍を見せている。足が速くてすばしっこいのだ。そのせいかスミレには小動物のイメージがある。目もくりくりしていて大きく、食べている姿はリスを思わせる。

「わたし思うんだけど、眠人がさくら子ちゃんとつき合うなら、いまのうちなんじゃないかな」

「どうしてそういう話になるんだよ」

「芸能人になっちゃったらつき合えないじゃん」

「だからそうじゃなくて、どうしてさくら子とおれの恋愛話にしたがるんだよ」

「だって眠人はさくら子ちゃんのこと好きでしょう」

さも当然というふうにスミレは言い、卵焼きを口に放りこんだ。

「またその話かよ。スミレの意図がわからん」

「わたしの恋のライバルかもしれないから、はっきりさせておきたいんだよねえ」

「おまえなあ」と横目で遠ざけるように見た。「最近おれをからかいすぎだぞ。なんだよ、恋のライバルって。そもそもおれが女子から好きになってもらえるはずないだろう。ビジュアルがイケてるわけでもないし、トークスキルがあるわけでもないし、きらりと光るセンスがあるわけでもないんだから」

「そんなことないよ」

スミレは右手の人差し指を伸ばしてきて、胸の真ん中あたりをとんと突いてきた。

「眠人はかっこいいところあるって。素敵なところもある。自分で気づいてないだけだよ。少なくともわたしはからかってないからね」

発言の真意がわからなくてスミレをしげしげと眺めた。スミレは困ったように笑い、

「やばい、次の授業の宿題やってなかった」と弁当箱をしまった。見守っていると立ち上がって言う。

「眠人がもしさくら子ちゃんじゃなくてもいいって言うなら、わたしを選んでよ。選択できるって素晴らしいことだよ。ぜひ小田スミレを。小田スミレをよろしく」

「選挙の立候補みたいなこと言いやがって」

「あはは、ごめんね。まだいろいろ下手くそでさ。なにせわたしまだ二歳のお子様だからさ。歪(ゆが)んでるところもあると思う。でもつき合ってくれたら、眠人に損はさせないよ」

それだけを言うとスミレはそそくさと立ち去っていった。二歳ってなんだよ。歪んでいるってなんだ。うまく汲(く)み取れないことばかり言う。つき合ってくれっていうのは本心なのだろうか。つかみどころがないので真剣に返答すべきなのかもわからない。真面目に考えて返事をしても、「本気にしてたの?」なんてしれっと言ってきそうだ。

パンを食べ終えて校舎に入った。階段をのぼっていたら、さくら子が降りてきた。「おう」と自然に声が出る。「ああ」とさくら子が微笑む。お互い手を振ってすれ違った。連絡が取りたくなったら気兼ねなくメッセージを送り合う。どうでもいいような話題でもメッセージのやり取りはいつも盛り上がる。現在のさくら子との距離感はそんな感じで、恋愛の要素はまったくない。好きかどうかというスミレからの質問には、好きではないという答えしか出てこない。正確に言えば好きだった、となるのだろう。

クリス先生のお別れ会からほどなく、竜征とさくら子はつき合い始めた。なんとなくあやしいなとは思っていたのだけれど、竜征とはお互いに恋愛に関する話題を避けていたので聞くに聞けていなかったのだ。

たぶん竜征も打ち明けにくかったのだろう。それがある日、ふたりで遊んだ帰り道に竜征は不自然なくらいに黙りがちになり、別れ際にぼそぼそと言ってきた。

「あのさ、おれさ、さくら子とつき合うことになったから」

さりげなさを装おうとして、もはやぶっきらぼうになっていた。予測していたものの事実を突きつけられると、動揺して「へえ」という間抜けな返事しか出てこなかった。

ぎくしゃくしたまま竜征と別れ、ひとりきりで歩いているうちに動揺は治まってきて、ぽろりと涙がこぼれた。その涙の理由がわからなくて、ただただ泣きながら歩いた。泣いたまま家に帰れないので公園に寄り、ダム湖の階段をのぼり、真っ暗な湖面に向かって泣いた。

なぜ泣いているのかは、だんだんとわかってきた。

ひとつめには仲のよい三人組と思っていたのに、いつのまにか竜征とさくら子がくっついて仲間はずれにされたような気がしたから。

ふたつめには恋愛を毛嫌いし、小ばかにしたような態度まで取っていた竜征が、その態度を翻して彼女を作ったから。同調していた部分があったので、裏切られたように思えた。

みっつめの理由はだいぶ泣いたあと、ゆっくりと浮かび上がってきた。

ああ、自分ってさくら子を好きだったんだな。

特別な子だったんだな。

そのことに強烈な寂しさの中で気づいた。

スミレの言葉を借りれば、自分はお子様だった。さくら子に魅了されて抱く思いが、恋愛感情だと思いもしなかったのだ。もしくはその恋心は固い蕾だったのかもしれない。咲くのが遅すぎた。

ふたりがつき合い始めてからも竜征とは普段通りに遊んだ。ふたりとも気遣ってくれて、なにかと遊びに誘ってくれた。竜征もさくら子もやさしいのだ。だからいじけているわけにはいかなかった。さくら子への思いをひた隠しにし、なにげないふうを装って三人で遊んだ。

夏休みに入り、週末は西武園の花火を三人で見に行った。打ち上げ場所のそばまで近づくと、花火を真下から見上げる形になる。間近で見る花火の大きさに三人で感嘆の声を上げ、帰り道にはコンビニでアイスを食べた。陸上部の競技会があれば、竜征の応援のためにさくら子と駆けつけた。さくら子の箏の演奏会には竜征と聞きに行った。人前での演奏にもすっかり慣れ、ステージ上の彼女は別人のようだった。

十二月に所沢でマラソン大会があり、三人でエントリーもした。男子中学生は五キロで女子中学生は三キロ。本番に向けて三人でジョギングもした。悔しいけれど陸上部の竜征にはまったく敵わなくて、見惚れるさくら子の横顔を見るはめになった。

拝島さんともちょくちょく顔を合わせた。拝島さんは沖縄から保護犬を受け入れ、ラッキーと名づけた。ハッピーに似た白い雑種の和犬で、そのラッキーをモデルにした『ラッキーの生活』という連載が始まり、ラッキーは白黒ページながらも漫画雑誌のグラビアデビューを飾った。

そのラッキーの撮影が公園で行われ、立ち会ったときにカメラマンがラッキーといっしょにさくら子を撮った。ラッキーとじゃれるさくら子を、お手をさせているさくら子を、ラッキーを抱きしめているさくら子を。写真が掲載されたのは白黒ページで印刷も粗い。それでも彼女は見つけられてしまった。カメラマンを通じて芸能事務所から声がかかったのだ。いまでもスカウトは断っているけれどあれが最初だった。

三人のうち誰かが誕生日を迎えればそろって祝った。初詣も三人で行った。雪が降れば公園に集合した。公園での花見も三人いっしょ。蛍もまた三人で見た。手はつながなかったけれど。

竜征とさくら子の仲睦(なかむつ)まじい様子は、三人で過ごせばどうしても目に入った。でもふたりが気を回してくれて、仲間でいてくれようとしてくれるものだから、いいやつに徹した。自分が幼いせいでさくら子を好きだと気づけなかった。自分が悪かった。だから嫉妬の権利さえないと思っていた。

ただ、わだかまりはずっとあった。竜征から直接さくら子を好きだと聞きたかった。こそこそしないでほしかった。正直に打ち明けてくれていたら、快く祝ってやれたのにと悔しくなってしまう。出し抜かれたとか、ずるいとか、いやな感情を抱くのは竜征のせいに思えてしまう。

もちろんこれは結果論で、打ち明けてくれていたとしてもわだかまりは抱えていただろう。結局、自分ひとりが取り残されたようで寂しかったのだ。どんなときも味方でいてくれた竜征と、好きになったさくら子を、一度に失った寂しさに打ち負かされた状態だった。

あのころ三人で過ごすと、二等辺三角形が思い浮かんだ。三人を線で結んだ形だ。自分という頂点がとても離れた二等辺三角形。星座のさんかく座に似ている。

さんかく座は頂点のα星が離れていて、一番明るいβ星とγ星は近い。秋から冬にかけてアンドロメダ座の下に浮かぶ。周囲に明るい星がないので見つけやすい。直彦に嫌気が差してアパートを飛び出した夜になどよく眺めていた。

このさんかく座の関係は、中学校を卒業して、たとえ別々の高校に進学することになろうとも、さらに大人になってからだって、続いていくと思っていた。それに実は望んでいたことでもあった。なにせさくら子とつき合ってからの竜征は、尖ったり危うかったりする部分がなくなり、落ち着きを見せるようになったからだ。彼女からいい影響を受けているんだ、と傍目（はため）からでもよくわかった。

しかし地上のさんかく座は壊れてしまった。一番明るい星である竜征が欠けてしまったために。

中学三年生の夏休み明けの始業式のことだ。竜征の姿がなかった。夏休みのあいだは毎日のように会っていて、体調を崩した様子はなかったし、ずる休みの理由も思い当たらない。前日だってさくら子といっしょに公園で落ち合い、最後にコンビニでアイスを食べて別れた。笑顔で手を振っていた。元気そうだった。

不可解に思いつつ家に帰り、なんの気なしに集合ポストを開けたら一通の手紙が入っていた。白い封筒で住所も消印もなく、「眠人へ」とだけあった。いやな予感がしてその場で開封した。

便箋は三枚入っていて、文字で埋め尽くされていた。時間がなくて書き殴ったのか、伝えたい熱量が上回って乱暴になったのか、走り書きがぎゅうぎゅうに詰まっていた。

読みながら階段をのぼり、部屋に入って読み終え、呆然としていたところでビーッと玄関のドアチャイムが鳴った。薄くドアを開けると、泣いて目を腫らしたさくら子が息を切らして立っていた。手には白い便箋があり、事情を察する。竜征はさくら子の家のポストにも手紙を入れ、この街を去っていったのだ。

さくら子を家に上げるわけにいかないので外に出た。彼女は涙を拭くこともせず、「どうしよう、どうしよう」と涙声で訴えてきた。

「竜ちゃんが行っちゃった。わたしを置いていっちゃった」

その言葉でさくら子が普段は竜征を「竜ちゃん」と呼んでいたことを知った。

「わたしね、竜ちゃんちにも行ったんだよ。でも何度もインターフォンを押したけど全然出てこなくて、ずっと押してたらマンションの隣の部屋の人が星野さんは午前中のうちに引っ越しましたよって」

さくら子の体は細かく震えていた。

「あいつのケータイに電話してみた？」

「つながらない。メッセージを送っても返ってこなくて。手紙だけ残して消えるなんてひどいよ」

震える手でさくら子は白い封筒を掲げた。

「その手紙、うちにも来てたよ」

「こんな一方的で短い手紙ひどいよね。引っ越しの理由くらい教えてくれてもいいのに」

「え、短い？」

自分への手紙は文字で埋め尽くされていたのに。さくら子が封筒から便箋を取り出して渡してくる。

〈引っ越すことになりました。好きだった。というより愛してた。ごめんね。ありがと

う〉

驚くほどそっけなかった。しかし丁寧な美しい文字で書かれていた。けっして文字がきれいではない竜征が、ひと文字ずつ心を込めて書いたことが伝わってきた。

「ねえ、眠人君。いま短いって不思議そうに言ったよね。もしかして眠人君への手紙は長いの？　引っ越しの理由とか書いてあるの？」

さくら子がにじり寄ってくる。瞳が泣いて充血し、まぶたは桜色に染まっている。返事に困っていると、「見せて」と訴えてきた。

「お願い。なにか書いてあったなら見せて。引っ越しのことをわたしに教えてくれなかったのって、わたしが竜ちゃんになにか悪いことをしたからかな。嫌われちゃったのかな」

「そんなことないよ。あいつはさくら子のこと大好きだったよ。それは信じていいよ」

「信じたいけどこんな手紙じゃ信じられないよ」

涙目で見つめてくる。真実を求めている瞳だった。「ちょっと待ってて」とドアを薄く開けて中に入り、手紙を取ってきた。さくら子に渡した。

〈北海道に引っ越すことになった。父ちゃんの実家だ。夏休み前から決まってたけど言い出せなくて悪い。なにも言わずにいなくなるのは、心配してほしいわけじゃねえからな。眠人とさくら子といっしょにいるのが楽しすぎて、永遠に続いてほしいと思って、終わるのがすげえいやでいつも通り過ごしたかったんだ。

引っ越しの理由は父ちゃんと母ちゃんが離婚したから。母ちゃんがまた新しい男を作って父ちゃんの心がとうとう壊れた。実を言えば三ヶ月くらい会社に行ってなかったんだ。精神状態がよくなくて心の病院にも通った。会社に復帰できなそうで、でも生活費とかマンションのローンとかあるからお金が必要で、このままじゃ暮らせなくなりそうだったから、母ちゃんときちんと離婚して北海道に帰ることになった。ていうか父ちゃんの親（おれのじいさんとばあさん）や兄弟から北海道に引き戻されることになった。

なんとか東京にひとりで残る方法を探したけど無理だったよ。この街で眠人やさくら子といっしょに大人になりたかった。おれんちの貯金は減っていく一方で、おれが父ちゃんの代わりに働いたところでろくに稼げやしねえ。自分が無力だって思い知らされた。役立たずでちっぽけでみじめ。どうしようもねえな。

母ちゃんもどうしようもねえんだ。離婚はしょうがないとしても、おれと離れたくないって言い張った。おれのことを愛してるって言うんだ。働き先で新しい男を好きになるたびに夢中になって、頭おかしくなった状態で家を飛び出すくせに、おれのことなんかほっぽり出してたくせに、愛してる我が子と引き離すなんてひどいっておれの手を握って泣くんだ。でも好きになった男のこと以外なにも考えられなくなる母ちゃんが口にする愛ってなんなんだろう？　おれが思うに母ちゃんはおれを愛してなんかいない。あれが愛であってたまるか。家庭を壊し、誰も救わないあれが愛であってたまるか。

　ひとつ眠人にお願いがある。さくら子を見守ってやってほしい。眠人の目の届く限りでいいから。本当はおれが守ってやりたかった。ずっとそばにいたかった。けれどいつか別れは来るだろうなって予感はあった。さくら子の家に何度かお邪魔したよ。お父さんとお母さんにも会った。すげえいい人たちだった。家も素敵なんだ。行けば必ず旬のフルーツや高そうなケーキでもてなしてくれてさ、お父さんなんておれとキャッチボールをしてくれたよ。息子が欲しかったとか言って。さくら子がやさしくて温かな家庭で育ったことがよくわかった。うちみたいに母ちゃんが包丁をちらつかせたり、殺せって叫んだりする家じゃねえんだよ。

　線は引きたくねえけど、おれはさくら子といっしょに生きていくのにふさわしい人間じゃない。きっとこれからおれはお金で苦労するし、父ちゃんもどれだけ立ち直れるかわからない。眠人ならわかってもらえると思うけど、たぶんおれは日向（ひなた）と日陰があったら日陰の道を生きていく。その日陰の道をさくら子には歩かせたくない。だからもう連絡は取らない。それにいまのおれは心が真っ黒だ。さくら子と笑って話せないし、やさしくすることもできない。もう真っ黒なんだよ。

遠いいつかでいいから、自分で働いてお金を貯められるようになったら、沖縄に行こうぜ。沖縄で眠人の三線を聞いてみたい。なんだったらおれがまた太鼓を叩いてやってもいいよ。行けるようになったら絶対に連絡する。手紙を送るから。

眠人とさくら子と出会えて本当によかった。出会えてなかったら、自分がどうなってたかわからない。本当にありがとう〉

さくら子は読み終えた便箋を震える手で渡してきた。ひゅっと息を吸う音が聞こえ、彼女は両手で顔を覆って泣き始めた。よろめいて倒れかけたので慌てて両手で支える。腕の中へ倒れこんできたさくら子の体は、びっくりするほど軽かった。

泣き続けるさくら子をただただ抱き止めた。好きだった人が、いやいまでも好きで夢に何度も出てくる人が、腕の中にいる。奇跡のような状況だった。

夢の中に出てくるさくら子は寄り添うように立ち、そっと手をつないでくる。蛍を眺めたあの夜と同じように。たぶん願望なんだと思う。手をつないでもらった自分はほっとしている。ずっと独りぼっちで不安だった。そのことに手をつないでもらって改めて気づくのだ。

さくら子の夢を見るようになってからは、直彦に首を絞められる夢を見なくなった。人肌への嫌悪も薄まった。これはきっとさくら子がもたらした変化だ。人生なんて言ったら大袈裟だけど、さくら子は浅倉眠人の人生に強い影響を与えた特別な人なのだ。

いま特別な人に触れている。手をつなぐどころか腕の中にいる。でも不思議と高揚感はなかった。もうひとりの浅倉眠人が空中から見下ろしていて、冷ややかに言ってくる。

「二階の外廊下で体を寄せ合っているなんて通行人から丸見えだぞ。しかもお互い学生服だ。学校に連絡が行くかもしれないぞ」

うるさいよ。黙っとけ。頭上の浅倉民人を睨みつける。

さくら子を抱き止めていると、竜征の手紙にあった言葉が思い出された。手紙には〈見守ってほしい〉とあった。あれはよくない。竜征にしてみればさくら子を思って書いた言葉なのだろう。でも思いをひた隠しにしているこっちにしてみれば呪いの言葉だ。見守るってことは、手を出してはいけないと解釈できる。たとえ書いた竜征にそうした意図がなかったとしても。

このままさくら子を強く抱きしめたら。そんな邪(よこしま)な考えも浮かぶ。けれど実行するほどの熱が不思議と心になかった。

「臆病だな」

頭上の浅倉眠人が嘲笑う。違うってば。

「こんな絶好のチャンスを逃すのかよ。もう竜征はいないんだ。さくら子を自分のものにしちまえばいい」

自分のものとか言うな。人を物みたいに言うのはよせ。

「三人で過ごした日々が素晴らしかったから思い出を壊したくない、なんて言うつもりか。おまえはしょせんいい人のレベルで留まるつもりかよ」

さくら子は好きな人が急にいなくなって、悲しみと混乱の真っ只中（ただなか）なんだぞ。そっと寄り添ってあげるべきだよ。

「弱って心がぐらぐら揺れてるからこそ振り向かせられるんじゃないか。強く抱きしめてやれって。竜征みたいに突然消えたりしないよ、ずっとそばにいるよって囁いてやれ」

焦って先走るのはよせって。必死に自分の願望を推し進めようとしている時点で、自信がないのがばればれなんだよ。

そう、自信がなかった。竜征の手紙には〈おれはさくら子といっしょに生きていくのにふさわしい人間じゃない〉の一文があった。あの言葉を綴（つづ）った竜征の心境が手に取るようにわかる。線は引きたくない。でもたしかにさくら子は同じ側の人間ではない。自分や竜征のように、日陰の道を歩かなければならない人間じゃない。しっかりと線が引かれている。現実という名の線が。

本来なら泣いているさくら子を、二階の外階段に立たせ続けるのはよくないことだ。人目を避けて家の中に入れてやり、落ち着かせてやるべき。けれどそれができない。背にしたドアの向こうには、ゴミ屋敷一歩手前の世界が広がっている。破れたレースのカーテン、カビが生えても使い続けているタオル、異臭を放つシンクの三角コーナー、テーブルに放置された使用済みティッシュの山、埃をかぶったテレビやトースターや母の遺影。

望んでもいないのに背負わされた貧しさの象徴みたいな部屋が、ドアの向こうで待ち構えている。そしてその象徴は生活にぴったりと張りつき、逃してくれない。この部屋こそおまえの中身なんだと突きつけてくる。学校でどれだけ普通を取り繕っていても無駄だぞ、と。

恥ずかしさと悔しさと無力感で無理だと考えてしまう。誰かを好きになり、その人と生きていくなんて無理。大人になったときにお金をたくさん稼げる人になれればいいのだろうけれど、這い上がることの難しさは父の直彦を長年見て知っている。考えれば考えるほど、悩めば悩むほど、絶望的な気分に陥る。

お金がない。明るい未来が見えない。そんな境遇に誰かを巻きこみたくない。好きになった相手ならなおさらだ。だから竜征がさくら子と今後いっさい連絡を取らないと決めた心境は痛いほどわかった。

「わたし、自分の気持ちを言葉にするのが苦手で」

三十分ほど泣いたあとさくら子がぼそぼそと語り出した。

「でも竜ちゃんがどんな些細な言葉でも真剣に聞いてくれるから、わたしは人に気持ちを伝えたいっていうふうに初めてなれたんだよ。竜ちゃんがいてくれたから」

「いい影響を与え合ってるように見えたよ、ふたりは」

本心だ。さくら子を好きだという感情を抜きにしての心からの言葉。

「わたしは竜ちゃんさえいればよかったのに。竜ちゃん以外なにもいらなかったのに」

竜征が残した手紙に対しての言葉だと気づく。金銭面で苦労しようとも、日陰の未来が待っていようとも、かまわないと言っていた。

ばかだな、竜征は。これが愛じゃないか。竜征が母からもらえなかった愛をさくら子は持っていたのに。

竜征がいなくなってから二年が経った。さくら子はいまでも星野竜征の名前をネット検索して探しているようだ。しかしかすりもしないという。竜征が住んでいたマンションの住人や、あいつの担任の先生にも引っ越し先を尋ねたらしい。でも札幌（さっぽろ）ということ以外わかっていない。よくも悪くもニュースとしてウェブに載りそうなやつなのに。

沖縄への誘いの手紙が竜征から届いたら、いの一番に教えてほしいとさくら子から頼まれている。彼女も駆けつけるつもりのようだ。

この二年間でさくら子への思いは、霧のように消え失せている。さくら子を抱き止めたあの日、彼女との体の距離はゼロだったのに心の距離は無限だった。腕の中にいるさくら子が求めていたのは竜征だった。胸を引き裂かれながらさくら子を慰めていたあの日、彼女への思いをそっと手放し、離れていこうと決めたのだ。

さくら子はさくら子で、好きな人が急に姿を消したのによく立ち直ったと思う。否応なしに高校受験が始まったのはよかったのかもしれない。いまは同じ高校に通っているけれど、実を言えば受験を頑張る必要があったのはさくら子だった。成績は自分のほうがよかったのだ。

「眠人君といっしょの高校に通いたい」

受験シーズン中、さくら子は会うたびに言ってくれた。額面通り受け取れば、うれしい言葉だ。けれど彼女の願いは透けて見えた。竜征を含めた地上のさんかく座を少しでも存続させたい。そのために残された星たちはそばにいるべきだと考えていた。実際、会えば竜征との思い出話ばかりだったし、やり取りするメッセージでも竜征を絡ませた話題が多かった。

それが高校へ無事に合格して以降、次第に竜征の話題は出なくなっていき、さくら子と落ち合って話をすることも、メッセージのやり取りも少なくなっていった。ときおりは竜征の話を持ち出してくる。けれど彼女からは無理やり持ち出している感じがあって、思い出話も何度も語りすぎて脚色されている傾向まであった。だから竜征の名が出なくなっていったことは、自然の成り行きとして歓迎した。それとともに竜征との思い出がこれ以上増えないことに寂しさを覚えた。

一方でさくら子が高校では周囲と浅いつき合いに徹しているように見えて、竜征が彼女にしたことの残酷さに腹が立った。さくら子の心の中には竜征がいる。だから特に男子を避けているように見えた。好きだったのなら、愛していたのなら、竜征はちゃんと別れてやるべきだった。遠いいつか本当に沖縄で再会できたら、そのときは一発ぶん殴ってやろうと決めている。

めんそーれ酒場からの帰り道、いつものようにぼうっと自転車を漕いでいたら、スマートフォンの着信音が鳴った。自転車を停めてディスプレイを確認する。さくら子からメッセージが届いていて、ディスプレイには〈報告があります〉と表示されていた。

待っていると次のメッセージが届いた。ホームボタンを押して起動する。メッセージにはこう書かれていた。

〈芸能事務所、入ることにしたよ。転校して芸能コースがある高校に通うことになると思う。いつからかは調整中〉

親指を走らせ、メッセージを返す。

〈すごい！　とうとう決心したってわけか〉

返信はしばらく経ってから来た。

〈今回熱心に誘ってくれた事務所、よさそうだったから。いままでアイドルとかモデルとして声をかけてくれたところはたくさんあったけど、筝が弾けるって話したらまず和楽器のバンドをやってみないかって提案してくれて。それからそこの事務所が運営してる劇団があって、メンバーは演技の勉強をしながら映画とかドラマに出たり、モデルをやったり歌手をやったりしてて、その劇団にも入ったらいいって勧めてくれて、活動の幅が広いならやってみようかなって〉

〈人前の演奏であんなに震えてたさくら子が、人前に立つ演奏やお芝居をやってみたいって言うんだからなあ　笑〉

〈ちょっと茶化さないでよ　笑〉

〈茶化してないよ。感心してる。すげえ進歩と決断だなって〉

正直な気持ちだ。自然と頬がゆるんで微笑んでいることに気づく。

〈アイドルもモデルもお仕事として素晴らしいけど、たぶんわたしは中身を見てもらいたいんだと思う〉

〈中身？〉

〈わたし、見た目を褒められること多いよ。パパとママに感謝してる。顔立ちも骨格もパパとママ譲りだから。でも学校の友達と写真撮ったりすると、公開処刑とかオシャ殺しとか言われる。わたしは誰も殺してないのに〉

スタイルのいいさくら子と並んで写真に納まると、比較して顔が大きく見えたり体が寸胴に見えたりして、憐れみをもって公開処刑なんて言うやつがいる。お洒落な女子もスタイルのいいさくら子と並ぶと、そのお洒落も無駄に見えてしまうのでオシャ殺しなんて言われる。

〈ビジュアルがいい人にならひどい言葉を浴びせてもいいって傾向があるでしょ？　ルックスがよければ優遇されることもある。みんな見た目が基準。でもわたしはそういう考えや価値観の外側に行ってみたくなったんだよ〉

〈だから中身？〉

〈中身っていっても難しいから、わたしが発信したもので評価が決まる世界に行きたくなったの。音楽でも芝居でもいいから、そこに技術がある世界がいいなって〉

容姿が劣っているといやな目に遭う世の中だ。しかし優れていても表面的にしか見てもらえず、さくら子が言う通りにときにはひどい言葉も浴びせられる。コンテストに出された作品に辛辣な言葉が浴びせられるみたいに。でも人間は出展された作品ではない。心がある。だから表面だけで判断される価値観に抗おうってことなのだろう。

〈応援するよ〉

〈ありがとう。あ、わたしも眠人を応援していいなら、応援したいことがあるんだけど〉

〈おれいまなにもやってないけど。応援ってバイトとか？〉

〈違うよ。眠人君と同じクラスの小田スミレちゃんとのこと。最近スミレちゃんと仲いいでしょう。中庭でお昼いっしょに食べたりして〉

〈よく見てんなあ〉

〈もしかしてもうスミレちゃんから告白された?〉

〈つき合ってほしいみたいなことは言われてる〉

　テンポよくメッセージのやり取りが続いていたのに、しばらく間が空いた。自転車を漕ぎ出そうとすると着信音が鳴り響いた。さくら子が直接電話をかけてきていた。応答ボタンをタップすると、さくら子の興奮気味な声が弾ける。周囲が静かなだけにその声はとても大きく聞こえた。

「眠人君、もう返事はしたの」

「まだだけど」

「どうして」

「あの子がどこまで本気かわからなくてさ。ずばり好きですって言われたら真剣に考えるけど。外堀を埋めるようなことをしてきたり、でもわたしを選んでよって言ってきたり、回りくどくてよくわからなくて」

「そりゃあ回りくどくもなるよ。だって告白だよ。ずばり言うなんて簡単なことじゃないよ。そこは眠人君がスミレちゃんの気持ちを汲んであげなきゃ」

さくら子の勢いに気圧される。そして微笑ましくなった。さくら子も恋の話で盛り上がるんだなあ、なんて。一般的な女子高生の一面にうれしくなる。

「ねえ、眠人君わかってる？　スミレちゃんって相当かわいい子だよ」

「わかってるよ、一応」

スミレは男子から人気がある。まだ二歳だからみたいなおかしな言動があるけれど、天真爛漫で笑顔を絶やさない。どんな人にも分け隔てなく接する。目もくりくりとしていて大きく、愛らしい顔立ちをしている。

以前、中庭でスミレとお昼を食べていたら、通りかかったさくら子が微笑みかけてくれた。周囲の男子生徒たちがうらやましげな視線を送ってきたが、そばにスミレがいたこともその一因だった。

「本気で考えてあげてよね、スミレちゃんのこと」

「わかった。まじで考えてみる」

「うん、まじでお願い」

「あはは」

普段、言葉遣いまでおとなしいさくら子が、珍しくまじなんて口にするから笑ってしまった。

「そう言えば聞いたことなかったけど、さくら子と竜征はどっちから告白したんだ」

「え、告白？　いまごろそれを聞くの」

「いまだから聞けるんじゃん」

「それは」とさくら子はしばらくためらいの沈黙をはさんでから、恥ずかしそうな声で続けた。

「わたしから」

「そうだったんだ。びっくりだなあ。勇気あるな、さくら子は」

じゃれ合いのような会話を続けながら、強く認識したことがある。

自分はもうさくら子を好きじゃない。

わだかまりもない。

だから告白について質問できたのだ。

「もしかしてだけど、さくら子が芸能事務所に所属しようと思った理由の百分の一でもいいから、存在を竜征に知ってもらうためってことはある？」

「あるって言ったら、引く？」

「引かない。応援するって言ったろ」

またしばらくの沈黙があって明るい声が返ってきた。

「ありがとう」

気のせいかもしれないけれど、涙声のような濁りを感じられた。泣いているのかもしれなかった。

もう好きではない。でも見守っていく。これが自分の役目なのだ。

おい、竜征。約束は果たしているぞ。

ぽつりぽつりと間遠に灯る街灯を眺めつつ、泣いているさくら子のために最適の言葉を探した。今日また少しばかり大人になったように思えた。


スミレからいつものごとく「さくら子ちゃんのこと好きなんでしょう」と言われた日の放課後、彼女を公園へ呼び出した。ダム湖をいっしょに眺めながらぶらぶらと歩き、竜征といつもたむろっていた東屋へ連れていった。

ベンチにやや離れて座り、ここで小学生のときに春帆から三線を教えてもらったこと、中学生のときに竜征とさくら子と合奏の練習をしたことを話した。蛍を三人で見た思い出や、竜征とさくら子がつき合った経緯や、竜征が突然いなくなったことや、実はさくら子を好きだったこともみんな明かした。

「でももう好きってわけじゃないんだ。だからおれがさくら子を好きかどうか、スミレは質問しなくていいんだよ」

続けて我が家の窮状についても話した。借金があること、母が他界していること、いずれ父の世話をしなくてはいけないかもしれないこと、世間の普通のレベルの生活に届かない気がしていること。

観念的な話もしてみた。希望と絶望はつながっていて、絶望の黒へと落ちていく不安や不穏さに心が引っ張られそうになること、幸福の持続性を信じられないこと。

いつも饒舌なスミレが、珍しく黙って耳を傾けてくれた。こういう面もあるんだな、と驚く。話し終えるとスミレは小さくうなずき、やさしげな視線で口を開いた。

「闇に触れずに大人になるのって無理なのかもね。みんななにかしらの闇に触れちゃう。眠人もさくら子ちゃんの元彼もどっぷり闇に浸かっちゃって、さくら子ちゃんは元彼の闇に触れちゃって。闇に触れずにのほほんと大人になれるなら、そんな幸せなことはないよね」

スミレの口ぶりからは、彼女もまたなにかしらの闇に触れていることを思わせた。公園入口の自販機で買ったペットボトルのミルクティーを、ごくりと飲んで彼女は続けた。さばさばとした口調で。

「闇って親がもたらした境遇の場合が多いと思うんだよね。わたしんちの場合は宗教」

「宗教？」

「お父さんもお母さんもマイナーな宗教の信者でさ、わたしもその教えを押しつけられたの。人と争うことは信仰で禁止されてるから体育も運動会も見学。科学を信じてなくて自然治癒や自然療法ばかり。恋愛は禁止だし信仰に学歴は不要だから高校進学だってしなくていいって言われてた。個人の希望はとにかくあと回し。なにより布教活動が大切って教えこまれてさ、お父さんやお母さんと家を一軒ずつ回る戸別布教ってのもやらされてたんだよ。小さいころから中学生までずっとね」

思わぬ話が出てきて絶句する。深刻さをやわらげようというのか、スミレは自らを嘲笑うかのような口調で続けた。

「当然、近所には同級生とかが住んでるわけでさ、バレたくないからマスクしたり、つばの広いベースボールキャップを目深にかぶったりして訪問するの。つらかったなあ。結婚も信者同士じゃなくちゃ駄目で、好きな人を選ぶって自由すらなかったんだよ。信じられる?」

首を横に振った。振りながら以前にスミレから言われた言葉を思い出した。「選択できるって素晴らしいことだよ」と。

「でもわたしは闇を抜け出すことにしたんだよ。大学だって行ってみたいし、好きになった人と恋愛もしてみたい。そういう普通の希望や願望をわたしも抱いていいはずだって思ったの。それで中学三年のときに両親とけんかしてたら、前々から心配してくれてたお母さんのお姉さんが、宗教どっぷりの小田家から助け出してくれたんだよ。おばさんは信者でもなんでもなくて、そのおばさんのおかげで高校にも行けてるわけ」

以前、昼食のおにぎりをおばさんに作ってもらったと聞いたけれど、そうした背景があったわけか。

「スミレが前に言ってた二歳って意味、やっとわかったよ」

「中三で神様中心のあの家を飛び出したときにわたしは生まれたんだよ。まだ二年。だから二歳。いろいろ経験が足りなくて、いびつでごめんね」

スミレはVサインを作って二歳をアピールし、にっと笑った。

「でもなんでおれとつき合いたいなんて思うんだよ。前も言ったけど別におれビジュアルがいいわけでもないし、人と比べてこれといったものもないよ」

いびつとはいえスミレは男子から人気がある。言い寄るやつもいるはずだ。

「わたし、見たんだ」

「なにを」

「沖縄料理店で眠人が三線を弾いて歌ってるところ」

「めんそーれ酒場か」

「高校入学してすぐのころだったかな。おばさんの家族に連れてってもらったんだ。そこで同い年くらいの男の子が三線を弾いて歌ってるのを聞いたの。同い年くらいなのにわたしと全然違う人生を送ってて、演奏も歌もすごい上手で、見てたらわたしもこれからいろいろチャレンジして、変わっていけるかもって可能性を信じられたんだよ」

宮里さんの民謡教室の生徒が生演奏のショーを行うのに交じって、ときどき演奏させてもらっている。アルバイト中なので一曲だけの飛び入り参加だ。

「おれ、なにを弾いてた」

「『十九の春』って曲」

けっして難しい曲ではない。なので歌ってみろと声をかけられた覚えがある。

「もしかしてスミレ、その日も野球帽をかぶってなかったか」

「かぶってたけど」

「覚えてるよ。店内で帽子をかぶってる人って普通いないからさ。印象に残ったんだよな」

「あはは、それ、わたしだ。あのころまだ外に行くときは顔を隠さないと落ち着かなくて」

「そっかあ、見られてたかあ。びっくりだな」

「うん、びっくり。学校で眠人を見かけたときはほんとびっくりした。三線を弾いてた人だって。しかも今年は同じクラスだし」

スミレが運命的なものを感じたのなら、それもわからないでもないな、と思った。

「おれがバイトしてるの学校じゃないしょだぞ」

「言わないよ。歌を聞いて感動したんだから」

「感動？　そういう曲でもないと思うけど」

厳密に言えば、『十九の春』は琉球民謡ではない。元々は俗謡でそれをレコード化してヒットした流行歌だ。歌詞もうちなーぐちではないし、曲も琉球音階ではない。でも沖縄出身の多くのアーティストが歌っている有名な曲だ。

「わたしも曲について調べたよ。大人の恋の歌だよね。だけど眠人が歌ったからよかったんだよね。すごく切実に聞こえたんだよ」

歌詞は男性に捨てられる女性の視点で始まる。捨ててほかの女性のもとへ行こうとする男性に、惚れた十九歳の春の自分に戻しておくれ、と訴える。

めんそーれ酒場で『十九の春』を歌ったころ、さくら子のことがまだまだ好きだった。彼女から必死に離れていっている最中だった。さくら子を好きになった十四歳に戻しておくれという思いがあったのはたしかだ。それが伝わったのかもしれない。

「眠人の歌を聞いてて、同い年くらいなのに好きな人がいるんだな、でも叶わない恋みたいだな、なんてわたしは勝手に想像したんだよ。やりきれない感じがすごくあったから。で、あのときのわたしはそれすらうらやましかったんだよね。わたしも恋をしたいって強烈に思ったの」

スミレはミルクティーをごくりと飲んだ。自分を落ち着かせるかのように。

「眠人が同じ学校だってわかってからはやっぱり気になってたよ。さくら子ちゃんと仲良さそうな姿を見て、『十九の春』を歌いながら思い描いてたのはさくら子ちゃんだろうなって見当がついたし、悪いと思ったけど聞きこみ調査みたいなこともした」

「それで恋のライバルかもしれないとか、よくわからないことを言ってきたんだな」

ペットボトルの飲み口に唇をつけたまま、スミレはばつが悪そうにうつむいた。いじらしくてかわいらしい。笑いながら言ってやる。

「やっぱりまだ二歳のお子様だな」

「ごめんね、いろいろとまだ下手くそで。いびつだし」

「いびつかどうかだったら、おれもいびつだよ。それよりスミレのこと尊敬した」

「尊敬ってわたしを？」

不思議そうにスミレは自らを指差した。

「だってスミレは闇から抜け出そうと決心して、行動を起こしたわけだ。偉いじゃん。おれなんてどうやったら闇から抜け出せるか、まだ全然見えてないよ」

「わたしだって抜け出せたわけじゃないよ。お父さんとお母さんは神様を捨てたわたしをどう思ってるだろうとか、神様から罰を受けるかもとか、後ろ向きに引っ張られることあるもん。わたしにとって親は呪縛。わたしが救われるようにと言いながら、わたしにやってることは呪いなんだよ。よく親がはずれだったって話す子が学校にいるけど、その気持ちはわかるよ。わたしの場合、大はずれだったけど」

親の存在の重さやしんどさを、自分以外でこれほどまでに強く感じたのは初めてだった。

「ただわたしははずれたことを言い訳にして、終わりにしたくないんだよね。わたしはまだまだ変わっていけるからさ。可能性たっぷりなの。わたしはわたしに期待してるんだよ」

スミレの顔全体が輝いているように見えた。

「かっこいいな、スミレは」

「なに言ってんの。そういう可能性を信じさせてくれたのは眠人だからね」

「おれが？」

「バイトしたり三線を弾いたり、同い年でもこれだけできるんだって幅を見せてくれたのは眠人だよ。わたしだってなにかできるはずって思ったんだよ」

気づかぬうちに自分も出会いの風となり、スミレにいい影響を与えていたんだな。めぐり合わせって不思議だ。

スミレの言う通り、闇に触れずに大人になる人はいないのかもしれない。触れてしまったとき、もしくは取りこまれてしまったとき、自分ひとりの力で抜け出すのは難しい。必要なのはやはり風だ。闇を払拭してくれる風となってくれる人がいるかどうか。

おい、竜征。新しい風には出会えているか？　出会って前を向けているか？　おれは新しい風に出会ったぞ。同じ方向へと吹く風だ。

「今度また『十九の春』を歌ってよ。話してたらまた聞きたくなっちゃった」

スミレが無邪気にせがんでくる。澄ました顔を作り、こう答えた。

「おれ、もう『十九の春』は上手に歌えないかも」

「え、どうして」

「スミレがめんそーれ酒場で聞いたときって、たしかに十四歳の自分に戻しておくれって願いながら歌ってたんだよ。それで切実さがにじみ出ててよかったんだと思う。でも十四歳に戻りたいなんてもうこれっぽっちも思わないからさ」

「どういうこと。なんで戻りたいと思わないの」

不思議そうにスミレが首をかしげた。うん、わかっていたけれどスミレはかわいい。照れくさくなってうつむいて言う。

「スミレと出会ったからだよ。せっかく出会ったのに戻ってたまるか」

スミレが両手を広げ、人目も憚（はばか）らずに抱きついてくる。抱き止めるために腕を広げた。彼女の重みを胸で受け止めた瞬間、あはは、と自分でも驚くほど快活な笑い声がもれた。

第四章

最初の印象は光だ。光にあふれていた。

飛行機を降りて薄暗い搭乗橋を抜けると、空港の通路は窓からのまばゆい光で満ちていた。歩きながら窓の外へ視線をやる。あまりのまばゆさに自然と目が細まった。

帰ってきたぞ。手にしていた三線ケースに向かい、眠人は心の中で語りかける。春帆が譲ってくれた三線とともに沖縄へやってきたのだ。

「光の量が違うね」

リュックを背負ったスミレが横に並ぶ。ゴールデンウィークということで空港は観光客でいっぱいだ。わくわくしてしまい、空港の動く歩道でも歩みが止まらない。

一階到着ロビーを抜け、エスカレーターを上がって二階へ。ウェルカムホールは広く、土産物店が所狭しと並んでいる。

空港の建物を出てモノレール乗り場へ向かった。屋根つきの広い歩道橋を進むとすぐに那覇空港駅が見えてくる。空港も駅も白を基調とした建物で、その分空の青さが際立った。飛行機の着陸時の機内アナウンスで、気温は二十八度と言っていた。けっこうな暑さだ。でも空気がからっとしていて吹く風が心地いい。

沖縄都市モノレール線のゆいレールは、車両の窓が大きくて地上十メートルの軌道上からの眺望がよい。眠人もスミレも初めての沖縄で、窓からの景色を食い入るように眺めた。

「白い建物が多いね」

「ビルが高いよ。地元のほうが東京なのによっぽど田舎だ」

「朱色の屋根が目立つね。瓦屋根はみんな朱色なんじゃないかな」

窓に張りつき、気づいたことを指摘し合う。

軌道沿いに現れるコンビニの数は東京と変わらない。意外だったのはチェーンのファミリーレストランもファストフード店も消費者金融も東京と同じくらいそこかしこに見られることだ。

沖縄を勝手に理想化し、どこもかしこも美しいリゾート地のように考えてしまっていた。眼下に広がるこの街も眠人たちが暮らす東京の隅っこと変わりはない。人の暮らしがあり、仕事があり、喜びや悲しみがある。

ゆいレールは到着駅への進入時に、車内放送として沖縄民謡のメロディーが流れた。どれも有名な曲で、聞こえてくるメロディーに反応してリズムに合わせて体を揺らしそうになる。

なかでも奥武山公園駅の『じんじん』や、県庁前駅での『てぃんさぐぬ花』を聞くと、竜征とさくら子の顔が思い浮かんで胸が熱くなった。かつてともに歌った曲が生まれたその地へやってきたのだ。

安里駅へ到着した。麦藁帽子をかぶったスミレが眠人を見上げて言う。

「わたし、この曲好き。サー、ユイユイだね」

駅への進入時に流れてきたのは『安里屋ユンタ』だった。サー、ユイユイは歌の調子を整えるための合いの手で特に意味はない。いわゆる囃子言葉で『東京音頭』のヨイヨイと同じだ。

もともと『安里屋ユンタ』は八重山諸島の竹富島に伝わる古い民謡だ。これをもとに三線で節をつけたものが『安里屋節』で、昭和の頭ごろに改作という形で作詞作曲されてレコード化した『安里屋ユンタ』がある。レコード化されたものは歌詞が標準語であり、日本全国に広められたこともあって、『安里屋ユンタ』と言えばこのレコード版を指すことが多いそうだ。

安里駅から地上へ降りて、東への通りを選ぶ。通りの両脇には居酒屋が並び、どの店もおいしそうな雰囲気を漂わせている。東京にはない山羊料理の看板を掲げている店を二軒も見かけ、いよいよ沖縄へ来たんだなという実感を得た。

「ちょっと緊張する」

住宅街へ入ったところでスミレがつぶやく。

「きっといい人たちだよ、宮里さんの親戚なんだからさ」

沖縄行きが決まったのは三月末のこと。飛行機のチケットは取れたものの、安いホテルはゴールデンウィーク期間のために軒並み埋まっていた。そこで助け舟を出してくれたのが、琉球民謡の先生である宮里さんだった。親戚の家に泊まることを提案してくれたのだ。

「急だよねえ」

スミレが膨れっ面となる。

「急だったな」

「だって沖縄だよ。しかもゴールデンウィークだよ。沖縄で集合なんて大胆っていうか、突拍子もないっていうか」

「そういうやつなんだよ、竜征は」

三月半ばに竜征から手紙が届いた。八年前に忽然(こつぜん)と姿を消したときのことなどすっかり忘れ去ってしまったかのような、あっさりとした文面だった。

〈やあ、久しぶり。自分で働いて金を貯められるようになったら沖縄に行こうぜって誘ったこと覚えてるか？　おれ、やっと沖縄に行けるようになったぞ。ゴールデンウィークに行く予定なんだけど、眠人が行けるなら沖縄で落ち合おうぜ。無理そうだったらまた今度。会えたらいいなあ。楽しみにしてるよ〉

手紙の末尾には宿泊予定と思われるホテルの名前と、〈十七時にロビーで〉の一文が添えられていた。携帯電話の番号もメールアドレスも書かれておらず、一方的に手紙一枚で誘ってきた。スミレに見せたら目を丸くして驚いていた。

「久しぶりの再会をこんな紙っぺら一枚で誘うなんて信じらんない！」

スミレが怒るのももっともだ。けれど信じがたいことを平気で口にしたり行動したりするのが竜征であって、変わっていないことにほんの少しばかり安堵を覚えた。

しかしながら時が経ち、面倒くささに拍車のかかった二十三歳になっていたらどうしよう。一抹の不安がよぎる。思い出は思い出のままにして、再会は見送るべきではないか。そんなことも考えた。

竜征がいなくなってからの八年間、ふと思い出してはその名をネット検索してみた。どちらかと言えば珍しい名前で、ネットの検索網に引っかかりやすいはず。それなのにこの八年のあいだ一度もヒットしなかった。

SNSの類いをやらず、世間の表舞台にも出てきていない。悪事を働いてその名が流れてくることもない。完全な消息不明。生きているのかどうかもわからない。それを自然のことと受け入れ始めていた。そこへきて今回の突然の手紙だ。

戸惑いも不安もある。でも沖縄での再会を決めた。竜征に会うためだけだったら、この決断はしなかっただろう。いくつかの偶然が重なり、沖縄行きを決めた。スミレに事情を話したところ彼女も同行したいと言い出し、二人旅となった。

宮里さんの妹さん夫婦が暮らす家へお邪魔した。予想通り、いや予想以上に素敵なファミリーで、眠人とスミレを大歓迎してくれた。今後の予定が場合によってどう変わるかわからないことも理解してくれて、そのうえでいくらでも泊まっていってよいと言ってくれた。

東京で宮里さんにどれだけ世話になっているかを話題にしつつ歓待を受け、十六時に竜征の手紙に書かれていたホテルへ向かった。ゆいレールの最寄り駅は牧志駅。安里駅の隣の駅だ。そのホテルは宮里さんの妹さんの家からでも歩いていける距離だった。

「不思議だ」

さきを歩くスミレが振り向いて言う。

「なにが」

「眠人とこうしていっしょに沖縄にいること」

「わかる」

安里川に沿って続く小道を進む。途中、親水庭園が設けられていて、石段を降りれば川際まで近づけた。周囲はぐるりと高層のビルやホテルが並び、親水庭園はまるでオアシスのようだ。スミレと並んで川べりにしゃがみ、緑色をしたゆるやかな川面を眺めた。牧志駅の向こうは国際通りとなっており、これから向かおうとする観光客の足取りが軽い。

竜征の手紙からは、沖縄旅行ができるほどの金銭的余裕がやっとできたことが窺えた。けれどそれは眠人も同じだ。

高校を卒業後、地元の企業に就職した。いまから七十年ほど前に工業用のポンプを製造する会社として創立されたところだ。一九六〇年代に入り、ポンプの技術を使って医療機器の分野に進出し、透析装置のパイオニアと言われるようになった。二〇〇〇年代に入ってからは炭素繊維強化プラスチックを用いて航空機部品を作るようになり、眠人はその航空事業部門の生産技術の職に就いた。

航空機部品の主力製品はファンケースライナーというものだ。飛行機のエンジンのファンをぐるりと囲むファンケースの内側に挿入される金属接着部品で、ファンブレードの飛散を防止したりエンジンの音を低減させたりする効果がある。

このファンケースライナーは金属部分のハニカムパネルを、炭素繊維強化プラスチックでもってサンドイッチ状に積層した構造となっていて、複合材ゆえに内部で剥離する恐れがある。その検査が眠人に与えられた仕事だった。

超音波による検査も行うけれど、一日の作業の大半を占めるのが打音検査用ハンマーによるものだ。検査用ハンマーと言っても、コンクリートの検査に用いられるような大きなものではない。人差し指と親指でつまめるほどの小さなもので、それを製品にやさしくコッコッと当てて検査する。

これはコインタッピング方式と呼ばれる剝離検知のやり方で、正常な箇所と剝離が起きた箇所での音の違いで判断する。資格も必要だが作業する人間の音感に頼るところが大きく、根気も要する。なにせ飛行機のエンジンのファンは巨大で、それを囲むファンケースライナーも大きい。そんな大きい製品の視覚では確認できない内部の隙間を、小さなハンマーひとつを頼りにして探っていくのだ。並大抵の仕事ではない。

コツコツコツコツコツコツコツ。

同じリズムで満遍なく叩いていく。

コツコツコツコツコツコツコツ。

騒がしい場所だと打音の差異がわからないので、広い工場の隅の周囲に誰もいないところで作業する。

コツコツコツコツコツコツコツ。

音を聞く作業なのでほかの社員と会話を交わすこともない。

コツコツコツコツコツコツコツ。

出社してラジオ体操をしたら、昼食以外の九時から十七時までずっと叩き続ける日もある。

コツコツコツコツコツコツ。

単調すぎて精神的に耐えられないという社員もいる。眠人はそうでもない。独りきりで没頭する仕事は好きなほうだ。

コツコツコツコツコツコツ。

ときどき啄木鳥になったかのような気分になる。

コツコツコツコツコツコツ。

コツコツコツコツコツコツ。

これを入社してから四年やり続けた。年収はボーナスを合わせて二百八十万円ほど。とはいえ変わらぬおんぼろアパート暮らしなので貯金はできた。生活費を毎月五万円ずつ入れたうえでだ。

製造される製品が大きいので、工場に勤務する多くの社員がクレーンやフォークリフトを操作する免許を持ち、ほぼすべての工程で力仕事が必要となってくる。繊細な製品を作っているはずなのに、多くの社員ががっちりとした体軀へと変わっていく。

しかし眠人が所属する部署は検査のみを行う。重いものを運ぶこともない。しかも工場はきちんと十七時十分で終業だ。体力を浪費しないので、仕事を上がってからも余力があり、夜に三線の練習ができた。土日は完全に休み。いまは本格的に宮里さんの琉球民謡の教室へ通っていて、めんそーれ酒場での生演奏ショーに派遣されるメンバーにも選ばれている。

最近、よく考える。闇を抜けたのかもしれない。

仕事は楽しい。三線も続けている。なによりスミレがいっしょにいてくれる。高校生のころに感じていた、闇に落ちる感覚に襲われることはもうない。

さきほどスミレは「不思議だ」と言った。眠人も同じように思う。お金がなくて食べるものにも困っていた自分が、未来なんて一ミリも描けなかった自分が、沖縄へこうして旅行に来ている。

楽しめる仕事、打ちこめる三線、大切なスミレ。ひとつでも欠けたらいまの自分へたどり着けていなかったろう。つまり幸運の綱渡りの末に、いま自分は沖縄にいる。うん、不思議だ。

綱渡りと言えば、スミレもそうだった。幼いころよりどっぷり浸かっていた信仰の日々から抜け出すのは容易ではなかった。

スミレの両親は家にあるすべてのお金をお布施(ふせ)として教団に納め、それは教義上素晴らしいとされていたので彼女の家では当然のことであって、スミレは自分のためにお金を使うことに慣れていなかった。高価なものを買えば、気が引けるというよりも罪悪感を覚えてしまう。またスミレのほうからつき合いたいとアピールしてきたのに、信仰上では婚前交渉どころか恋愛も禁止されているため、手を握るだけでも後ろめたさが芽生えてしまうようだった。

　つき合って三年が経ったころ、母親から鞭叩きの罰を受けていたと打ち明けられた。教義に反した行いをすれば尻を叩かれる。革のベルトだったりゴムホースだったりで。自ら尻を向け、下着を下ろして叩かれるのだそうだ。

　打ち明けられたその日、スミレをやさしく抱きしめてたくさん泣いた。彼女の心に刻まれた傷たちが消えるようにと願いながら。

　スピリチュアル・アビューズ。神の教えを理由とした虐待。そうした恐怖による精神的な支配は、眠人とのなにげない日々にしばしば影を落とした。

　影響はスミレの考え方のひとつひとつにまで及んでいて、神様や教団のためになるものは善、それ以外は悪と極端な教えを叩きこまれたせいで、なににつけても白か黒かの対立を前提に物事を考えてしまう。中間のグレーの答えを出すという発想を持ち合わせていなかった。グレーの答えでもいいんだよ、あるいは答えそのものを早急に出さなくてもいいんだよ、と諭しても納得できず、中間のグレーを選ばせればほかの思考が滞るといった差し障りが出た。

　スミレが世話になっている伯母の家へ、彼女の両親が押しかけてくることも悩みの種だった。金の無心に来ることもあれば、体調を崩した彼女の母が怒鳴りこんでくることもあった。体調が悪いのは、スミレが神様の怒りを買うようなことをしているせいだと本気で考えて押しかけてくるのだ。もしも神罰があるのなら、スミレの両親をおかしくしてしまった人たちにこそ下ってほしかった。

少しずつだ。本当に少しずつ、スミレは神様の名前を冠した呪いから抜け出していった。眠人の闇は金銭的な理由によるものが大きくて、ある意味ドライな側面もあった。だから働いて金銭を稼げるようになったいまは、からりとした心持ちで過去を振り返ることができる。しかしスミレの場合、闇が心の奥底にまで根を張り、払拭するまでに時間を要した。高校を卒業して、短大に通って保育士の資格を取り、保育園で働いて二年目。気づいては修正のくり返しをしながらスミレは前進してきたのだ。

「不思議だ」

眠人はスミレと同じ言葉をつぶやいて、緑色の川面から視線を上げた。狭い川の両岸を渡すようにしてワイヤーが張られ、鯉のぼりが泳いでいる。一本のワイヤーに五匹ほどの鯉のぼりが並び、並んで遡行しているかのようだ。ワイヤーは数本張られ、ぱっと見で三十匹ほどの鯉が風に吹かれて心地よさげに体をうねらせていた。

いま自分は青空の沖縄で、スミレといっしょにのどやかな心地で鯉のぼりを眺めている。なんて不思議なシチュエーションだろう。

「眠人のおかげだよ、こんなふうに旅行を楽しめるようになったのは」

スミレが手を伸ばしてきて眠人の手を握った。

「それを言ったらおれもいっしょだよ。スミレのおかげだ」

お互いわかっている。違う人とつき合っていたら、こんなふうにうまくいかなかった。眠人がいまだに見知らぬ人との肌の接触が苦手なことを、スミレは理解してくれている。苦手となった大本の体験にまつわるような場面を、テレビドラマのようなフィクションにおいてでも目にしたときは気にかけてくれる。ちくりと針で刺されたかのような一瞬の心の痛みにも気づいてくれた。

一方で眠人は細心の注意を払って、スミレの心の扉をノックした。彼女の心を乱すスイッチになる話題や、悲しい記憶を呼び起こす言葉を、丁寧に探りながらともに過ごしてきた。目に見えないものを探るのは苦手ではない。コツコツコツコツコツコツコツ。眠人が発した言葉に対するスミレの反応へ耳を澄まし、彼女を傷つけるものを遠ざけながら生きてきた。

闇による呪いはひとりでは解けない。わかってくれる誰かがいるからこそと思う。

「実際に沖縄に来てみてどう？　結論は出そうかな」

スミレも鯉のぼりを見上げて尋ねてくる。

「ごめん、まだ考え中」

「いいよ、焦らなくてさ」

くだけた口調でスミレは言って微笑んだ。

「まだ時間があるから国際通りをちょっと覗いてこようか」

「いいね」とスミレが先に立ち上がる。眠人の手をやさしく引いて歩き出した。

いま眠人は人生の岐路に立っていた。このまま東京で暮らすか、三線の修業をするために一定期間の沖縄移住をするか。

きっかけは新型コロナウイルス感染症だ。世界中で三億人以上が感染し、六百万人近くが亡くなった伝染病。業種や業態を問わずすべての生産と消費活動が打撃を受け、政治や経済や社会にさまざまな影響をもたらした。

眠人が働く航空業界は最も深刻な影が落ちたひとつで、眠人の会社にもその黒い波は押し寄せた。簡単に言ってしまえば、大幅に発注が低減した。

コロナ禍がやってきたのは、国内に散らばる工場を宮崎の新工場へまとめる再編のさなかだった。すでに静岡や金沢の工場は生産を終え、眠人のいる東京の工場も二年後に閉鎖されて技術開発研究所に様変わりする予定だった。

ところがコロナによって閉鎖が前倒しとなり、一年間の減産を余儀なくされているうちに派遣社員が次々と切られ、眠人たち正社員は面談を受けて宮崎へ移るか退職するかの選択を迫られることとなった。

眠人は退職を選んだ。仕事自体は好きだけれど、宮崎へ移ってまで続けたいかと聞かれれば首は縦に振れなかった。どうせ転居するなら、いっそのこと沖縄に住んで三線を学びたいという思いが横入りしてきて、あっという間に眠人の心を占めてしまったのだった。スミレにも沖縄行きを誘った。しかしいまの保育園を離れたくないという。やっと一人前に仕事をこなせるようになり、ほかの職員から頼りにされるようになった。保育園の子供たちもかわいい。まだまだ同じ場所で頑張りたいのだそうだ。

眠人は眠人で懸念材料があった。父の直彦のことだ。家にひとり置いて沖縄へ行っていいのだろうか、と。直彦は仕事をサボることも酒に飲まれることもなくなったが、頭はだいぶ白くなり、体が幾分か萎(しぼ)んだように見えるときがある。なんだかんだ言っても血のつながった親子だ。離れるに忍びなかった。

沖縄に住んで三線の修業をするなんて現実的ではない。あきらめるべきだ。東京で暮らしていたって三線はうまくなれる。現実を見すえて転職先を探し、堅実な人生を送るべきだ。そう自分に言い聞かせた。コロナの波は何度も押し寄せ、新種の株もあとを絶たない。発生から何年も経つのに世界は動揺したまま。そうした状況下で自分のやりたいことを追い求めるなんて、わがままでしかないのでは。

ところが意外にも沖縄行きの背中を押してくれたのはスミレだった。

「行ってみればいいじゃん。ショパンコンクールに出た人だって、本場のポーランドで勉強して得られるものがあったって言ってたよ」

またスミレは眠人が感じていた引け目にも気づいていた。

「沖縄の楽器である三線を、東京生まれで東京育ちの眠人が本当の意味で弾けてるか、気にかかってるんでしょう？　東京の人間が関西弁の漫才をやったら、違和感あるって拒否されるみたいに」

　自分が奏でる音には、本当の意味での沖縄の言葉も、歴史も、魂も宿っていない。沖縄という風土を知らずして、これ以上琉球民謡がうまくなれない気がしていた。

せめて三年。できれば五年は沖縄で暮らしてみたい。そんなふうに迷っていたところ、届いたのが竜征の手紙だったというわけだ。沖縄で再会しようと誘われた。だったら沖縄へ実際に行ってみて、移住すべきかどうか見極めようとなったのだ。

「たとえ世の中がどんなに大変なときでも、人は夢を見てもいいとわたしは思うけどな。いろいろな立場の人たちへの配慮をきちんとしたうえで、自分のやりたいことを追いかける。そういう夢への手続きっていつの時代もいっしょじゃん」

　スミレが言ってくれた言葉だ。好きになった人は、誰よりもつらい思いをしてきたはずなのに、誰よりも前向きに生きている。

　国際通りに出た。歩道に沿って大きな椰子の木が並び、いかにも南国風といった雰囲気を醸し出している。三年ぶりのコロナの行動制限がないゴールデンウィークということもあって、通りは観光客でいっぱいだ。みんな半袖姿でなかには短パンをはいている人もいる。東京より格好がひと足早い。やはり南国なのだと思う。コロナ対策のためにつけているマスクも暑さのために息苦しい。

人の波を縫いながら歩いていたら、眠人の口からふと『安里屋ユンタ』のひと節がこぼれた。

「マタハーリヌ　ツィンダラ　カヌシャマヨ」

ゆいレールに乗ったときに聞こえたメロディーが耳に残っていたのだ。

「あ、わたしもいま同じメロディーが頭ん中に流れてた」

手をつないで歩いていたスミレが、手を引っ張って言う。マスクをしていて見えないけれど、満面の笑みを浮かべていることは彼女の細めた目からわかる。

ふたりで声をそろえて歌い、いっしょに笑った。子供のようにつないだ手を前後に大きく振って歩く。

直彦に首を絞められる夢は長らく見ていない。さくら子が手をつないでくれる夢ももう見ない。夢の中で独りぼっちだった自分の手を、実際に握ってくれたのはスミレだった。そんなふうによく考える。

十七時、待ち合わせのロビーへと入っていく。ロビーはやや暗く、落ち着いた間接照明のせいか、なにもかもお洒落に見える。

「ねえ、わたし心配になってきた」

あとをついてきていたスミレが、急に足踏みをした。

「心配ってなにが」

「だって久々に再会した親友が変なやつになってたらどうする？　ヤバいやつになってたり、すごく暗い人になってたりしたら」

可能性はゼロではない。両親の離婚によって人生が捻じ曲げられ、本人の希望とは無関係に北海道へ引っ越していった竜征。いまだ闇を抜け出せずにいるなんてこともあるかも。

「けどこんな高そうなホテルに泊まってるんだから、ひどい生活をしてるってわけじゃなさそうじゃん」

「見栄を張りたくて、いいホテルのロビーを指定した可能性もあると思うけどな。実際は泊まってなくて」

「なるほど」

「ていうか眠人やけに落ち着いてない？　久々の再会だったらテンションが上がるもんじゃないの」

スミレの指摘通り、心は平素通りって感じだ。本当はドキドキしているのに、わざと落ち着きのポーズを取っているんじゃないか、なんて自らを疑ってもみる。けれど心は凪いでいるだけのようだった。

「八年前に急にいなくなった友達と沖縄で再会するなんて、普通に考えたらありえないシチュエーションだろう？　どう対応したらいいのか自分でもわからないだけだよ」

眠人が苦笑いで言うと、スミレは納得とばかりにうなずいた。

ロビーは応援席が点在していた。人影はひとつだけ。ひとりがけのソファーに腰かけ、うつむき加減で文庫本を読んでいる。近づいていくと眠人に気づいたその顔を上げた。立ち上がってマスクをはずす。すらりとした立ち姿。白いTシャツにインディゴのジーンズという簡素な格好。背がだいぶ伸びているけれど、まぎれもなく竜征だった。

「久しぶり」

竜征が笑う。眠人もマスクをはずした。

「久しぶり」

一日中工場の薄暗いところで過ごしていた眠人とは対照的に、竜征はよく日焼けをした肌をしていた。声は幾分か低くなり、大人びた印象が漂う。思い出の中の竜征より胸板が厚くなっていて、腕の筋肉の隆起が目立つ。

久々の再会にどんな感情が湧き起こるか、眠人自身もわかっていなかった。そして実際に対峙（たいじ）してみても、どう反応したらいいのかわからなかった。突然いなくなりやがって、と殴ってやりたい気持ちはある。さくら子がどれだけ悲しんだことか。一方で抱きしめたい衝動も駆け巡っていた。

見つめたまま黙っていると竜征が言った。やさしい瞳で。

「殴ってくれていいんだよ」

「それができる権利はさくら子にあるからな」

とっさに言い返したら、竜征は申し訳なさそうに視線を床に落とした。

「そうだな」

「おれに対してはジャンピング土下座で許してやる」

そう言うと、竜征は顔を上げてにやりと笑った。

「おお、それでいいなら」

いまにも跳び上がりそうに身を屈めたので、「嘘だよ、嘘」と笑って制する。握手のために手を差し出した。中学生のころならこういった照れくさいことはできなかった。離れていたから、急な別れがあったから、できたことだった。

「来てくれてありがとう」

竜征が眠人の手を握って言う。分厚い手をしていた。

「なんで送ってきた手紙に連絡先を書かなかったんだよ」

「奇跡的に会えたらそれはそれで万々歳だし、会えなかったらしかたないって思えるだろう」

「根掘り葉掘り質問されるのが、いやだったんじゃないのか」

「正直に言えばそれはある」

「ビビってたんだろう」

「うん、ビビってた」

やけに素直だ。いや竜征も大人になったというわけなのだろう。

「うしろの子は」と竜征は握手の手を離し、スミレを窺った。

「つき合ってる子。今回いっしょに沖縄に来たんだ」

スミレがマスクをずらして顔を見せ、小さくお辞儀する。

「本当かよ。眠人がこんなかわいい子とつき合ってるのかよ」

「お世辞はいいって」

「こらこら、お世辞ってなによ」とスミレが笑って眠人の背を手のひらで張る。振り返って「ごめん、ごめん」となだめた。スミレがあらたまって竜征に頭を下げた。

「小田スミレです。初めまして」

「星野竜征です。眠人とは小学校と中学校のときいっしょで」

「聞いてます。こんなかっこいいとは聞いてなかったけど」とスミレが眠人に耳打ちしてくる。わざわざ聞こえるような声で。眠人も聞こえるような声で返した。

「いいよ、スミレ。お世辞は言わなくて」

「なんだよ、お世辞って」

今度は竜征が突っこみを入れてくる。そこで三人そろって声を上げて笑った。八年ぶりの再会はうまく着地できたようだった。

「眠人っていまなにをやってるんだ」

竜征が興味津々というふうに聞いてくる。

「それこそ竜征はなにをやってるんだよ」

「おれか。話せば長くなるんだけどさ」

「だったら場所を変えよう。行きたいところがあるんだ」

眠人がその場所を提案すると、竜征は諸手(もろて)を挙げて賛成してくれた。

沖縄へ来る前、めんそーれ酒場の店長である上原さんに、お薦めの飲食店をいくつか教えてもらった。そのうちのひとつが老舗のステーキハウスだった。アメリカンダイナー風の建物で、十七時半に到着したらすでに人が並んでいた。回転率はいいようで十五分ほど並んだだけで席に案内される。ボックス席のソファーに眠人とスミレは並んで座り、テーブルをはさんで竜征が座った。

ビールで再会を祝した。地元のオリオンビールをジョッキで頼んだ。まさか竜征とビールを飲む日が来るなんて。感慨深さもあいまって、ビールは目をつむって唸ってしまうほどおいしかった。

「まさか眠人とこうしてビールを飲む日が来るなんてなあ」

竜征がいっきに半分ほどを飲み干して言う。

「こっちのせりふだよ」

「スミレちゃんもけっこう飲めるんだね」

負けじとジョッキをあおるスミレを見て竜征が驚く。

「ビール好きだからね。オリオンビールは沖縄で飲むと格別においしいねえ。この気温と湿度のせいかなあ」

スミレは妙なことに感心しつつ、ごくごくと飲んだ。出てきたサラダとスープをたいらげながら眠人は自分のこれまでを竜征に話した。通った高校、就職した会社、スミレとのなれそめ。竜征は神妙な顔で何度もうなずいている。

ステーキがやってきた。熱々の鉄板の上でじゅうじゅうと音を立てている。テンダーロインステーキの二百五十グラムだ。焼き方をレアと指定したためか、焼き色に覆われきれない肉の赤が食欲をそそる。

上原さんによれば、テーブルに用意されているオリジナルソースをかけるといいという。少しだけかけ、ナイフで肉を切り分けた。肉はやわらかく、口に運んだら肉の旨味と酸味のあるオリジナルソースが融け合い、驚きで目を見開いてしまった。隣でスミレも同じ顔をしていて、向かいを見たら竜征も同じ顔をしていた。

「うまい！」

三人ともそればかりくり返して肉に食いつく。その合間に竜征はいまどこでなにをしているのか語ってくれた。

「実はおれ四月から大学生になったんだよね。教育学部だよ」

「え？」

肉をいっぱい頬張ったままの「え？」だ。

「本当は高校を出たらすぐ大学に通いたかったんだけど、じいちゃんとばあちゃんに学費を出してもらうのは悪いから、高校卒業してから四年間働いてたんだよ。運送屋とか引っ越し屋とかで」

竜征の体つきがやけにがっしりしているはずだ。仕事で作られた体だったわけか。

「竜征のお父さんはどうしてる？」

「元気だよ。離婚してからだいぶひねくれちゃったけど。札幌で仕事を見つけて働いてるよ」

「竜征はいま札幌にいるのか」

「じいちゃんばあちゃんの家がそこなんだよ」

「大学よく受かったなあ。働きながら勉強したんだろう」

「四年も同じ勉強してれば受かるよ」

「でもすごいよ。自分で金を貯めて、勉強もして大学に行くなんて」

横でスミレがしきりにうなずく。

「一応、計画は立てたからな。学費も四年あれば貯められる計算だった。あとはちょっとの執念かな」

「執念？」

「おれの通った高校、そんなにいい高校じゃなかったんだ。大学進学率も低くて、生気とか覇気みたいのがない学校でさ。先生たちもしょうがないって感じだった。よく言えば生徒たちを温かく見守ってるふうで、悪く言えばあきらめてた。おれたち生徒に向かって夢を見ようとか世界に羽ばたこうとか言ったって、無駄だってわかってんだよ」

竜征が大きく切り分けた肉に勢いよく齧りつく。もぐもぐとよく噛み、腹立たしさとともにのみこんだように見えた。

「実際、おれたち生徒もしらけてたわけよ。卒業後はぱっとしない人生を送るってわかってる。道内の専門学校に通うか、入れる会社に収まるか。でもさ、ひとりだけ尻を叩いてくれる先生がいたんだ。おまえたちの未来は今日一日の過ごし方でいくらだって変わる、くらいのことは言ってくれてさ。飄々とした口調でだったけど。国語の先生でさ、五十歳になっても独身の冴えないおじさんって感じ。周囲の先生から浮いてたし、小ばかにして耳を貸さない生徒もいたよ。でもおれは好きだったんだ。あの先生は線を引かなかった」

八年前、竜征が残していった手紙が思い出された。あの手紙には〈いまのおれは心が真っ黒だ〉と書いてあった。その真っ黒な心を救ってくれた人がいたんだな。竜征も新たな出会いの風に吹かれていたのだ。

「で、じいちゃんとばあちゃんから将来なにになるんだって聞かれたとき、教師になりたいって答えたんだよ。その国語の先生を好きだったから。そしたら父ちゃんが鼻で笑うんだ。おまえ、あのレベルの高校に行っててなれるわけないだろうって」

竜征が肉にフォークを突き刺す。わざと怒った顔を作って肉を口に放りこみ、よく嚙んだあとビールとともに流しこんだ。

「それが決定打だよ。じゃあ、なってやろうじゃんって。学費も勉強も誰の力も借りず、憧れた先生に近づいてやろうじゃんって。どうせ駄目なやつだって線を引く大人を見返したかったし、おれも先生になって線を引かれる子供をひとりでも減らしたかったんだ」

ぱちぱちぱちとスミレが拍手を送って言う。

「それで本当に教育学部に入っちゃうなんてすごいよ」

「ありがとう。でもスタート地点に立っただけだからさ。これからばりばり勉強したいし、年齢的には遅れてるし、もっと速くもっと速くってそればっかり考えちまうんだな、これが。ま、四年間真面目に働いてきた自分に、ひとつくらいご褒美あげてもいいだろって沖縄旅行を計画したんだけどね。もしできるなら眠人と会えたらいいなって、ちょっとした奇跡も期待してさ」

竜征は気恥ずかしそうに空になったビールジョッキに目を落とした。

ステーキハウスを出て、腹ごなしに歩いた。高架となっているゆいレールの軌道に沿い、落ち合ったホテルがある牧志駅方面へ進んでいく。ゆいレールと並行して久茂地（くもじ）川が流れているので、必然的に川面を視界に入れながらの歩みとなる。

美栄橋（みえばし）駅を過ぎたところで右に折れ、大型書店を右に見ながら直進し、これまた上原さんにお薦めしてもらった居酒屋へ入った。

座敷席に上がり、またビールを頼み、つまみとなりそうなものを注文した。アグー豚のトントロベーコン、アーサの天ぷら、グルクンの唐揚げ。

三十分ほど歩いたせいか、テンダーロインステーキがやわらかくてあっさりとしていたおかげか、ビールもつまみも難なく胃に収まる。特に竜征の食べっぷりがいい。運送業や引っ越し業などで体を動かして働いていたためかもしれない。

「なあ、眠人。おまえやけに沖縄料理の注文が手馴れてるな。沖縄に来たの初めてって言ってたよな」

「所沢にある沖縄料理の店でバイトしてたんだよ」

「そういうことか。おれ、メニュー見てもわからないものだらけだ」

「たとえば」

「ヒラヤーチーってなんだ」

「沖縄の家庭料理だよ。お好み焼きみたいなやつ。平らに焼くから平焼き。それを沖縄ふうに読んでヒラヤーチー」

「じゃあ、ジーマーミ豆腐ってなんだ。普通の豆腐と違うのか」

「落花生を使った料理でさ、沖縄では落花生のことをジーマーミって言うんだ。漢字で書いたら地面の地に豆粒の豆で地豆。それを沖縄ふうに読んでジーマーミ。豆腐って言っても大豆は使ってなくて、落花生とサツマイモのでんぷんを乾燥させた芋くずってやつで作るんだ。ゴマ豆腐といっしょだよ」

「さすが詳しいな」

竜征は小さく拍手で讃えてくれた。それから遠い目をして言う。

「そう言えば眠人って小学生のときから細かいことに詳しかったよな。詳しくなるのが好きっていうかさ」

「そういうのあるね」とスミレが話に横入りしてくる。「電化製品のスペックを調べるのが好きとか、プロ野球選手の個人データを毎日チェックするのが好きとか、市内の廃線になってる電車の線路跡を探すのが好きとか」

「マニアックなところは変わってねえなあ」

口調は呆れたふうだ。けれど心底楽しそうに竜征は笑っている。

「探究心って言ってくれよ」

眠人が注文をつけると、竜征は「悪い、悪い」と笑って謝り、「眠人って図書室に通ってたくさん本を借りてたもんなあ。すげえ物知りだった」と再び遠い目をする。

「図書室の本はレンタル料がなかったからね。お金のかからない一番の楽しみだったよ」

「それな。おれも図書館にはだいぶ世話になった」

「竜征が図書館？」

「意外だろう。国語の先生に憧れて自分も教師になるって決めたけど、本もろくに読んだことなくてさ、教科書に出てくる名作くらいは読んでおこうって通ったんだ。仕事が体力的にきつかったから、一週間に一冊くらいしか読めなかったけど。あとは歴史小説もだいぶ読んだよ。そっちのほうが好みだったから日本史の先生になろうかちょっと迷った。まあ、そんなこんなでこの四年間は有名な文学作品と歴史小説漬け。読んだ本はノートに感想もつけてたんだぜ」

「へえ」

感嘆の声しか出なかった。

「図書館で本を選んでるとき眠人をよく思い出したよ」

「おれを？」

「学校のみんなに気づかれないようにこそこそ借りてたなって」

「あった。懐かしい」

「毎日こつこつ三線の練習してた眠人も思い出した。本をこつこつ読んでると、どんどん読めるようになってくるわけさ。スピードも読解力も上がるのが自分でもわかるんだ。結局、積み重ねが大切なんだよな。ていうか人は積み重ねることでしか前進できないし、どこにもたどり着けないんだ。そのことを眠人は小学生のときから知ってたのかなあ、なんて考えたりしてた。すげえやつだったなって」

眠人の隣に座って話を聞いていたスミレが肘で小突いてくる。やるじゃんって褒めるのが半分、からかいが半分って感じで。

「ほっとしたよ」

肘でスミレにやり返しながら竜征に言う。

「なにが」

「竜征と連絡が取れなくなって心配してた。ネットで検索かけたら引っかかりそうな名前なのに全然引っかからないし」

「SNSのたぐいやらねえからなあ。そんな暇なかったし。仕事と受験勉強で時間なくて、疲れてるから机に向かっても突っ伏して寝てばっかりだった。宅配便やってたときなんて万歩計でチェックしたら一日二万歩くらいになってて、距離にしたら平均十四キロくらいを歩いたり走ったりしてたわけ」

「毎日十四キロだなんて、わたし絶対に無理」

スミレが大袈裟に顔をしかめる。

「多い日はもっとだよ。まじで疲れたし、時間がなかった。働いてみてわかったけど、自分の時間を作るって難しいもんだな。一日三時間を捻出するのが限界。その少ない時間をやりくりして勉強と読書をするわけじゃん。本当に大変だった」

「わかる」とスミレがビールのジョッキに唇をつけたままつぶやく。「わたし保育士やってるけど子供たちの体力ってすごくて、一日が終わったらぐったりだもん。子供は家に帰ってごはん食べたら寝ちゃえばいいけど、こっちはほかにやるべきことがたくさんあるわけでさ」

「ああ、子供の体力ってすごいよな」と竜征が同意する。

「わたし、一日四十八時間あったらいいのにっていつも思うよ」

「おれも思う。やりたいこととやらなきゃいけないことが多すぎる。けど自分の体はひとつだけ。大学にはなんとか受かったけど、おれの場合スタートラインに立つのがほかの学生より四年も遅いんだ。もっと速くもっと速くって焦っちまう」

竜征はアグー豚のトントロベーコンを食べ、「うん、うまい。豚肉の甘味とコクがたまらん」と天を仰いだ。気持ちのいい食べっぷりだ。一方で竜征が発した「もっと速くもっと速く」が眠人の耳の中で響いていた。彼が抱えているもどかしさが、ひりひりと伝わってくる言葉だった。

「けどよかった」と眠人から切り出した。自分でも「けど」がなにに対しての接続詞かわからないけれど。

「よかったってなにが」

きょとんと竜征が眠人を見る。

「なんて言ったらいいかなあ。そうだ、健全だよ」

「健全？」

「おれたちって小学校のときも中学校のときもやばい感じがあったわけじゃん。どうやって生きていったらいいのかわからなくて、闇みたいなものにべったり張りつかれててさ。うちは父ちゃんのことで、竜征は両親のことで。ちょっと普通じゃなかった」

こくこくと竜征がうなずく。

「竜征が残してった手紙にも書いてあったけど、自分も日陰の道を生きるしかないって思ってた。でもそんなことなかったわけだ。もがいてるうちに闇を抜けてた」

眠人の言葉に竜征はうつむくようにしてうなずき、ぼそりとこぼした。

「もがいたよ、おれも。もがいてよかった」

会わない八年のあいだの労苦を感じさせる重い響きがあった。

「あのころに比べたらいまの悩みって健全って思わないか？」

「なるほど。納得した。いまはめっちゃ健全だ」

　竜征はビールをごくりと飲み、晴れやかに笑った。幼いころ竜征に言われるがままにOZCを結成した。会長に就任させられた。たしかに自分たちは大人に絶望していたし、明るい未来なんて見えなかった。

　でも春帆や、拝島さんや、宮里さんや、上原さんたちとの出会いがあり、絶望するにはまだ早いと踏みとどまれた。なにより竜征だ。目の前にいるこいつのおかげだ。

　竜征はいつも味方でいてくれて、厳しい状況でも上を向くやつだった。同情を欲しがらず、卑屈にならない。そうした態度に感化されて、自分も前向きになれたのだ。もしも出会っていなかったら、救ってくれないこの国や社会に対して憎しみを向ける人間になっていたかもしれない。自分は幼き日にすでに、ナンバーワンとしか言いようのない素晴らしい出会いの風に恵まれていたわけだ。

　店内のＢＧＭで明るくて軽快な『ハリクヤマク』が流れ出す。ついカチャーシーを踊りたくなる。

　カチャーシーは祝いの席などで踊られるものだ。速いテンポの曲に合わせ、両手を上げて手首を回しながら左右に振る。「かき回す」とか「かき混ぜる」といった意味の「かちゃーす」をその名の由来として持つ。日々の喜びも悲しみもかき混ぜ、みんなで踊って分かち合う。そういった思いが込められていると聞いたことがある。踊り方は正しいも正しくないもない。とにかく楽しく踊ればいい。楽しくなったら踊ればいい。そんなふうに宮里さんからも上原さんからも教わった。

楽しいことがあったときはもちろん、悲しいことがあろうとも、陰と陽で言えば陽の踊りでみんなとつながる。そうした強さを、沖縄の人たちと、沖縄という風土から感じる。悲しみに重力があるとしたら、そこから立ち上がる強さが沖縄の人々にはある。強いからこそ身につけられる軽やかさがある。それこそ眠人が三線を通じて惹かれた沖縄の魅力であって、沖縄で暮らしてみたいと思った理由の根っこだ。

沖縄で暮らし、沖縄をよく知り、五感全部で沖縄を感じる日々を送れたら、自分の三線の音はきっとよくなる。

もっと軽やかにもっと軽やかに。

求めている音へ近づくために沖縄に住んでみたい。

「眠人はどうなんだよ。順調なのか」

「順調だよ。でもいま分岐点でさ」

ジョッキに残っていたビールを飲み干して答える。

「分岐点?」

「三月で仕事を辞めたから、沖縄に三線の修業に来ようか迷ってるんだ。せめて三年は住みたいなって」

「スミレちゃんといっしょにか」

「いや、ひとりで」

「なんでだよ」

「あ、わたしのほうから眠人に断ったんだよ。誘ってくれたんだけど、保育園の仕事にやっと慣れてきたとこだし、お世話になってる先輩にも恩返ししたいし、やっぱり子供たちがかわいいから、いまは行けないって断ったの」

スミレが笑顔で訴える。だいぶ酔ってきたのか頬が赤く染まり、目尻が下がっている。

「スミレちゃんはそれでいいの」と竜征が問いかける。いつの間にか「スミレちゃん」と呼んでいるあたり、昔と変わっていないな、と苦笑しそうになる。しれっと距離を詰めるのがうまいのだ。

「わたしは別にかまわないよ」

「眠人と離れて心配になったり寂しくなったりしない？」

「心配にもなるし寂しくもなるよ。けど大丈夫なんだな、これが」

やはり酔いが回っているらしい。ろれつがあやしい。

「大丈夫ってどうして」

「お互いにこの人しかいないなって思ってるからだよ。あ、のろけてるわけじゃないよ。わたしも必死にもがいて闇を抜けてきたタイプ。やっぱり家族のことでね」

一瞬、竜征の瞳が真面目なものとなり、それから見守るようにやさしくなった。

「わたしんち、なんでもかんでも神様のためにって家だったんだよ。仕事も食事も人づき合いも結婚も。神様のためっていう絶対的な優先事項がついて回ってた。だけどそうじゃなくて、わたしがわたしのために選んだのが眠人だったんだよ。自分で選んだんだもん、大切にしたいし、守りたいし、考えや願いがあるのなら尊重してあげたい」

「そっかあ」

竜征は懐の深さを感じさせる笑みを浮かべた。スミレの言葉から彼女が宗教絡みで悩んでいたことは竜征も察しただろう。でも好奇心で瞳を輝かすこともなければ、怪訝そうな表情も見せない。ただ受け止めようとしてくれていて、その態度が好ましかった。

「もし眠人が沖縄に完全移住したいってなったなら、そのときはわたしも考えるけどね」

スミレが笑顔で言い足す。彼女も竜征の態度を好ましく思ったのかもしれない。テーブルに身を乗り出し気味となっている。

「眠人とスミレちゃんのふたりで沖縄に移住するって可能性もあるわけか。それはそれで楽しそうだな。なあ、眠人。おれも遊びに来るぜ」

「でもなあ」

「なんだよ。迷うことでもあるのか」

「自分の場合、三線は仕事ってわけじゃなくて突き詰めたいだけのことだからさ。そういうわがままで沖縄に来ていいのかなって」

「かまわねえだろう。突き詰めたいことがあるなんて最高に幸せなことだよ」

「沖縄で暮らして沖縄を存分に感じたら、うまくなれるような気がしてるけど、上っ面だけのきれいごとな気もしてさ」

「ばか。他人から見てきれいごとだとしても、そのきれいごとを死ぬ気でやったやつのほうが偉いんだよ」

竜征の語気が荒い。こういうところは変わっていないな、と胸にじんわりとしたものが広がる。

「あとはうちの親のこともあるし」

「相談したのか」

「一応は言った。うちの父ちゃん、竜征が知ってるころに比べたらだいぶましになって、仕事もサボらないしお酒もあんまり飲まなくて、話もそこそこ通じるようになってるからさ」

「どういう反応だった」

「行ってこいって」

「へえ」

目を丸くして竜征が驚く。

「父ちゃんに言われたよ。老後の面倒を見るとか、お金の面で助けたいとか、そういうことは考えなくていいからって。眠人のことはお母さんとふたりで望んで授かっただけで、親の人生を背負わせたくて産んだわけじゃないって」

竜征が腕組みをして斜め下を向いた。どうしたのかと思ったら、涙をこらえていた。

「悪いな、ちょっと泣きそうになっちまった」と目のふちを赤くして竜征が言う。「眠人の父ちゃんのよくないエピソード、けっこう覚えてるからさ。でもやっぱり親なんだな。そんな立派なこと言ってくれるなんて」

「だからこそ悩むわけじゃん」

「甘えりゃいいんだよ。眠人は子供のとき親に甘えさせてもらえなかっただろう。だからいまこそ甘えりゃいいんだ」

隣のスミレがうなずいている。眠人は店員に泡盛を注文した。竜征の言葉に泣きそうになって、ごまかすために店員を呼んだのだ。

竜征はよっぽど忙しい日々を送っていたようだ。拝島さんの漫画家としての復帰作である『ラッキーの生活』が、前作の『ハッピーの冒険』と同様にアニメ化されたことを知らなかった。様々なグッズが作られ、タイアップのチョコレートやスナック菓子がコンビニエンスストアの棚にずらりと並んでいるのに。

「ほんと忙しくてさ。それに東京に住んでたころのことは、心苦しくてネットで調べる気になれなかったんだ」

正直な竜征の胸の内が聞けたところで、眠人はスミレと視線を交わした。スミレはかすかにうなずき、眠人が試みようとしていることに同意を示してくれた。竜征に向き直って尋ねる。

「だったら、さくら子のことも知らないのか」

竜征の顔が強張った。視線をそらしてしばらく黙り、意を決したのか眠人を見た。

「さくら子がどうかしたのか」

「アイドルになったのは知ってるか」

「知ってる。いや、調べたわけじゃないんだけど、コンビニの本棚に並んでる雑誌の表紙にさくら子を見つけてびっくりして、アイドルになったんだって知って。でもおれはひどいことしちまったから、彼女について知る権利はないから、どういう活動をしてるかとか調べたりしてないんだ」

「けっこう活躍してるんだぞ」

「実を言えば、さくら子が出てそうなものはみんな避けてた。アイドルが載ってそうな雑誌とか、ネットの記事とか、出演しそうなテレビやラジオとか。彼女にとっておれとつき合ってたことなんて葬り去りたい過去だろ？　おれもつき合ってたことは一生誰にも言わないつもりだよ。彼女には本当に悪いことをした」

「そんなふうに悪いと思ってるなら、逆に知っておくべきだと思うぞ。いまのさくら子のこと」

そう断りを入れてからさくら子について話した。

さくら子は高校三年生から芸能コースのある高校に移り、誘われた事務所が運営する劇団に入って演技の勉強をスタートさせた。劇団には事務所に所属する新人の女性だけで作られた演劇ユニットがあり、さくら子も一年目から加入して、年に二回の公演に出演した。眠人もスミレも欠かさずに見に行った。

外見ではなく、表現したもので評価してもらいたい。そういった願いを抱いて芸能の世界に入ったさくら子に、芝居は向いていたのかもしれない。演技で必要とされる技術の体得をとても楽しんでいて、見に行った公演での演技は安定していたし、長ぜりふも危なげなくこなしていた。彼女にこんな才能があったんだ、と驚いたくらいだ。

さくら子はもともと自らの意見や思いを人に伝えるのが苦手だ。引っ込み思案であることもあいまって、本心なのか周囲に合わせているだけなのか、はたまた深い考えがあるのか底が浅いのか、傍目からではわからないところがある。

そうした得体の知れなさが、芝居にうまく活(い)かされていた。淡々とした日常を描いた場面での演技や、心の温度が低い人物の役となると、見事にはまった。逆に溌剌(はつらつ)とした人物を演じたり、感情を爆発させたりといった演技は苦手なようだった。素人考えでは、わかりやすい喜怒哀楽のほうが演じやすそうに思えるのだけれど。

二十歳を迎えるころには、深夜帯のテレビドラマの脇役や、ミュージックビデオや、ファッション雑誌のコラムなどで、遠山さくら子の名前を目にする機会が増えていった。ファンを名乗る人も現れ始め、さくら子の念願が叶って単独ライブも行われた。トークショーと筝の演奏という特殊なライブだ。用意された二百三十枚のチケットは完売し、眠人もスミレもさくら子からの招待がなかったら見ることができなかっただろう。

変化を迎えたのは二十一歳のとき。所属事務所が最も力を入れているアイドルグループに加入した。選抜メンバーが十二人と決められ、サブのメンバーが十人ほどいるグループで、人気や知名度はあまたあるアイドルグループの中で十番手くらい。そのグループのてこ入れとしてさくら子は加入した。

〈力を貸してほしいって言われて断れなかったんだよ。事務所にはお世話になってるし〉

加入の報告として眠人に届いたメッセージにはそう書かれていた。

さすがにアイドルグループとあってかわいいメンバーはたくさんいた。それでもさくら子はあいかわらず集団に入ると人目を惹いた。グループのダンスはメンバー全員で同じ振りつけを踊るものが多く、個人のダンスの技量よりフォーメーションを重視してい

た。メンバーの動きは同じ。となれば骨格の美しいさくら子が見る人の視線を奪ってい
く。その見栄えのよさから彼女は加入してすぐ選抜メンバーに選ばれた。

さくら子とは三ヶ月に一度くらいの頻度でメッセージをやり取りしていて、メッセージによれば先輩のメンバーはいい人たちばかりのようだ。

〈よく相談に乗ってもらってる〉

〈洋服をもらっちゃった〉

〈いいコスメ教えてもらったよ〉

〈憧れてる先輩がいるんだよね〉

メンバーに受け入れられている様子がメッセージから窺えて、ほっとしたものだった。

〈いい職場なんだな〉

そう返事をしたこともある。眠人が働いていた職場では部署同士の揉めごとがたびたび発生していた。製造に携わる人と、技術部門の人と、生産管理の人とのあいだで、「やってもらわなくちゃ困る」と「いや、それは無理だ」のやり取りを何度くり返したことか。目標値に縛られてのことなのだけれど、無理難題の押しつけ合いは社員同士をぎすぎすとさせ、眠人を悩ませた。そうした点からさくら子の環境がうらやましくて、〈いい職場なんだな〉なんて返信をしたのだ。

その後、さくら子はグループから卒業するメンバーの後釜として、ラジオ番組のアシ

スタントに抜擢(ばってき)された。演技の下地があるということで、映画の出演も決まった。関東ローカルの放送だけれど、江戸時代の旧跡を訪ねるといった番組のナビゲーターに抜擢された。理由は和楽器の演奏ができるから。かなりのこじつけだ。でもさくら子はこれを喜び、張りきっていた。

順風満帆だった。だから眠人もちょっと目を離してしまっていた。竜征が残していった手紙には〈さくら子を見守ってやってほしい。眠人の目の届く限りでいいから〉とあったけれど、もはや必要ないように感じていたのだ。

ところがだ。去年の十月にさくら子は体調不良による休養を発表した。もう七ヶ月も表舞台に出ていない。ＳＮＳの更新もストップしている。体調不良とだけしか発表していないために、世間では様々な憶測を呼び、ネット上ではメンバー内でのいじめ説や、男性アイドルとの恋愛が発覚して活動休止させられている説や、妊娠説なんてものまで飛び出した。

実際は、さくら子から送られてくるメッセージを総合して判断するに頑張りすぎたから。加えてあることないこと好き勝手に発言されるＳＮＳのせい。

歌唱もダンスも演技も平均点以上を叩き出していたさくら子だけれど、バラエティ番組の出演を苦手としていた。とっさの受け答えができず、進行の流れを止めてしまう。多くの出演者やスタッフからいっせいに視線を浴びると、緊張で頭が真っ白になって硬直してしまうのだそうだ。申し訳なさで泣いてしまうことがあり、意見を求められたら涙ぐむ中学生の彼女がテレビに映っているかのように見えた。

さくら子の泣く姿がテレビでさらされた日は、眠人もSNSをチェックした。ほとんどの声が励ましと泣いている姿もかわいいといった肯定的なもの。しかし百件に一件ほどの割合でナイフのような意見が交ざった。

〈遠山さくら子、かわいいからって泣いて済まそうって魂胆が見え見え。いらつくから出さないでほしい〉

人気が出ればアンチがもれなくついてくる。古参のファンの中には、あとから加入したさくら子がグループの運営スタッフに贔屓され、ごり押しされていると苦言を呈する者もいた。

当のさくら子も批判的な意見があることは知っていた。だから彼女は頑張った。アドリブ力を上げようとしていたし、歌も踊りも芝居も全力で取り組んだ。

〈わたしもっと強くなりたいんだよね。もっと強くもっと強くっていつも思ってる〉

強くなりたい。その言葉は送られてくるメッセージのどこかしらに必ず書かれていた。

しかし強くなることを望み、努力を重ねるうちに、心と体に支障をきたしてしまったのだろう。家を出て仕事現場へ向かうのがしんどくなったという。仕事中も腹痛に襲われたり、変な汗をかいたりするようになったという。カメラを向けられても笑顔を作れなくなったという。ネット上でも異変を指摘する声が相次いだ。

〈スタジオに行くと心臓が痛くなるんだ。心臓だけじゃなくて、わき腹から背中まで痛くなる〉

そんな不穏なメッセージが届いたので心臓の検査を勧めた。けれど心臓は医師が太鼓判を押すほど健康。そのあたりからやっと精神的な理由により体調を崩していると、さくら子も自認するようになった。

重圧の中、頑張りすぎた。休養が必要となった。それが事実だ。さくら子もアカウントを持つ各種ＳＮＳでその旨を発表した。なのにＳＮＳでのさくら子の休養について悪い憶測はやまなかった。

バラエティ番組の出演を嫌ったさくら子が運営スタッフに楯突いたとか、熱愛中の彼氏と結婚準備をしているとか、休養期間中に整形したとか、とっくに第一子が生まれて子育てで忙しいとか、白血病で入院しているのを見かけたとか。

また七ヶ月も休めばグループも新体制となり、さくら子が担っていた役割はほかのメンバーへ引き継がれた。みんなそつなく仕事をこなすものだから、そうなると今度はさくら子不要論が巻き起こり、彼女への罵りも散見するようになった。

〈さくら子って場の空気を乱してたからなあ〉

〈私服のセンス超ダサくてやばかった〉

〈清純派だと思ってたらピアス開けててがっかりした〉

SNSでさくら子の悪口を見つけるたびに、そんなことねえよ、おまえがあの子のなにを知ってるんだよ、と返信しかけた。けれどさくら子のあずかり知らぬところで炎上するなんてもってのほかだ。ぐっとこらえた。

それにしてもどうしてどいつもこいつも事実に反したことを平気で書き募るのか。なぜ傷つくような言葉を誰もが見られるネットに垂れ流すのだろう。本人が見て傷つく可能性を想像しないのだろうか。

テレビやウェブなどのメディアに登場する人物は、標的にしていいと勘違いしてやいないだろうか。見知らぬ人から言葉のナイフで刺される側の気持ちになって考えてみたらいい。そもそもファンたちがさくら子を共有物のようにとらえているのが気色悪い。さくら子はおまえたちのものじゃないぞ。彼女は彼女自身のものだ。

「ちょっとちょっと」

スミレに肩を突かれ、はっとした。

「あ、ごめん」

さくら子の身に起こったことを竜征に説明していたはずなのに、話しているうちにはらわたが煮えくり返ってきて語気が荒くなっていた。

「そんなことになってたのか」

つぶやく竜征の目が険しい。

「ひどいんだ」

「本当にひどい」

ビールジョッキを握る竜征の腕の筋肉が隆起していた。怒りでジョッキの取っ手を強く握らざるを得ないのだろう。

「なあ、竜征。いまのさくら子になにか言ってやってくれよ」

「無理だよ」

即答だった。

「おれにそんな資格ないよ。さよならを言う機会も与えないで姿を消したんだぞ。心をえぐるようなことをしたんだぞ」

「悪いと思ってるなら、いまこそ声をかけろって」

「あのときのおれとさくら子に未来はなかった。十四、五歳じゃどうしようもなかった。だから未練が残らないようになにも言わないで消えたんだ。それなのにいまさら関われるかよ」

「さくら子は芸能の仕事を始めるとき、竜征に見つけてもらえるかもって思いもあったんだぞ。おまえ、これを聞いてもなにもしないつもりかよ」

竜征は一度言葉を詰まらせたが、首を強く横に振った。

「駄目だ。おれは過去の人間だよ。過去の人間からの声なんてかけるべきじゃない。さっき眠人から聞かされた話じゃ、さくら子にはいい仲間がいっぱいいるみたいじゃないか。これからいっしょに歩いていく人間から言葉をもらうべきだよ」

大人になるにつれ、自分が頑固であることは眠人も自覚するようになった。でも竜征も相当だったと思い出す。

せっかく八年ぶりの再会を果たしたのに、押し問答を続けて仲違い(なかたが)いはしたくない。店内にいるほかの客もいぶかしそうにこちらのテーブルを窺っている。小さくため息をつき、横のスミレへ目配せした。こんなふうな展開になるかもと前もって話してあった。

「わかったよ、わかった。ところで竜征。明日からの予定は決まってるのか」

なるたけ明るい声で話題を変える。

「特に決まってない。ゆるゆるの沖縄旅だ」

「だったらこっちのスケジュールにつき合えよ。手紙一枚で沖縄にまで呼び出したんだ。少しはこっちにもわがままを言わせろって」

「かまわないけど。どこか行きたいところでもあるのか」

「離島に行く」

「は？」

「明日の朝、九時五十五分出港の船だから。泊(とまり)港にあるターミナルビルのとまりんに九時集合な。最低でも一泊するからその用意はしてこいよ」

「いや、おれ、もうホテルにチェックインしてるけど」

「また戻ってくるからそのままにしとけよ」

「離島での寝泊まりはどうするんだ」

「一泊くらいならなんとかなるだろ」

「いやいやおれと眠人とスミレちゃんと急に三人なんて泊まれるかよ」

「あ、わたし行かないから」

　選手宣誓するみたいにスミレが高々と手を掲げる。

「どうして」

「わたしはわたしで本島で見たいところあるもん」

「えええええ」と竜征が素っ頓狂な声を上げる。「おまえら沖縄まで来て別行動かよ」

「いいんだよ。わたしこれから何度も沖縄に来ることになりそうだし、もし気が向いたら次の日のフェリーで行くから」

「ふたりとも自由だな」

　竜征があ然とする。

「わたしさ、保育士の仕事を始めてすぐのころ、眠人に言ってもらった言葉があるんだよ。仕事もてんてこ舞いで、そんなときに神様を信じきってるうちの両親が、世話になってるおばさんの家にまで押しかけてきて精神的に参っちゃってたら、眠人が言ってくれたんだよ。その言葉があるからわたしは大丈夫なの。どんなに離れても大丈夫」

「どんな言葉？」

スミレが答えようとしたそのとき、眠人のスマートフォンがメッセージの通知音を鳴らした。今晩泊めてもらう宮里さんの妹さんからのメッセージで、今後の旅程が決まったか確認するためのものだった。

すぐさま返信のメッセージを打ちこむ。自分は再会した友人と離島に渡り、スミレはこのままお世話になる、と。

「明日寝坊したら船に乗り遅れるから、今日はもうお開きにしよう」

メッセージの送信後、眠人は立ち上がり、竜征にもスミレにも立つようにうながした。

「ところで眠人。離島ってどこに行くんだよ」

「粟国島（あぐにじま）」

竜征を粟国島へ連れていく。この使命がなかったら、竜征の手紙一枚では沖縄までやってこなかった。やってきたのは奇跡的な偶然が重なったからこそなのだ。

ニューフェリーあぐには新造船で、真っ白な船体が太陽の下でまばゆく輝いていた。フェリーターミナルであるとまりんで買った弁当を手に、タラップを渡って乗りこむ。

二階の客室の窓際に陣取り、ふかふかの椅子に腰を下ろした。

沖縄の弁当は白いごはんを覆い尽くすようにしておかずが敷きつめられ、ボリューム満点だ。眠人が買ったサバ弁当なんて大きなサバがごろりと横たわり、かけられたタレがごはんに染み出して食欲を大いにそそる。

竜征は昨夜お酒を飲みすぎたせいか眠たげな顔をしていた。あくびをくり返し、涙目で萎れるようにして椅子に座った。朝食をホテルで取ってこなかったそうで、出港してすぐにとんかつと照り焼きチキンとスパゲッティナポリタンがひしめき合う弁当を食べ始めた。

「眠そうなのによく食べられるな。胃は起きてるのかよ」

眠人が呆れて突っこみを入れると、竜征は寝ぼけまなこで答えた。

「頭はまだ寝てるけど胃は起きてる。こういう状態で腹に詰めこむのには慣れてるんだよ。仕事と受験の両立の日々が長かったから」

結局、眠人もサバ弁当を食べた。竜征の食べっぷりのよさを見ているうちに食べたくなってしまったのだ。

粟国島までの船旅は約二時間。弁当を食べ終え、三階の屋上デッキへ上がった。床が緑に塗られたデッキに立つと、頭上は遮るもののない大空だ。海風が全身をなぶっていく。海は彩度の高い青に染められ、空は薄い青。どちらも美しい。感嘆の声を発しながら水平線を眺めていると、やがて左手に島影が見えてきた。竜征に教えてやる。

「せっかくだから前もっていろいろ調べたんだ」

「詳しいな」

「慶良間諸島だよ」

「これから行く粟国島ってどんな島」

「なにもない島だってさ」

「なにもない？」

「コンビニもファストフードもないし、信号もひとつしかないんだって。しかもそれは小さい子たちに信号ってものを教えるために設置したものらしくて、その子供たちも中学校を卒業したら島を出るんだってさ、島内に高校がないから」

「十五の春ってやつだな」

高校のない離島に住む子供たちは、進学のために十五歳にして島を出る。それを十五の春と呼ぶそうだ。

「ほかの離島に比べたら観光地化もされてなくて、すげえ見どころがあるってわけでもないらしい。でもだからこそいい島って言われてるらしいんだ」

「それ、どういう意味だよ」

「なにもない。だからなにもしないをしに行く島なんだって。贅沢だろ？」

事前に調べてきた粟国島の情報を竜征に話して聞かせた。粟国島は那覇市から北西に六十キロメートルほど離れたところに位置し、周囲は十二・八キロメートル、面積は七・六二平方キロメートル。小さな島だ。人口は約七百人。現在、過疎化と高齢化が進んでいるそうだ。

島は空から見ると崩れたハートのような形をしている。島の東側は砂浜となっているが、西側へ向かうほどゆるやかなのぼりとなっていき、やがて海抜八十七メートルの筆ん崎と呼ばれる断崖絶壁に至る。

住民は島の東部に住み、墓は西部にある。これは太陽が昇ってくる東の方角が生きている人たちの暮らす場所であり、太陽が沈む西側は死者たちの場所と考えるためだそうだ。

墓は大きくて墓石はない。崖に横穴を掘り、その周囲をコンクリートで固めてあるだけ。入口は狭くて中は広い。火葬はしないそうだ。遺体は杉の棺（ひつぎ）に入れて安置し、入口は石を積んで塞ぐ。数年後、再び石積みをはずして白骨化した骨を洗い、骨壺（こつつぼ）へ移す。この風習を洗骨と言うそうだ。

「そんな風習があるのか。びっくりだな」

ぼんやりとしていた竜征の瞳が輝き出す。

「洗骨は琉球王朝でも行われてて、洗骨する前とあとだと安置される墓室も違ってたらしいぞ」

「なにもない島だって聞いたときはなんで行くのか不思議だったけど、俄然（がぜん）興味が湧いてきたぜ」

二時間の船旅は思い出話に花を咲かせているうちに、あっという間に終わりを迎えた。

次第に近づいてくる粟国島の全容を、フェリーの屋上デッキから眺める。隆起の少ない平らかな島で、全体は緑に覆われている。周辺にほかの島はなく、いわゆる絶海の孤島というやつだ。島の東部にある砂浜も、西部にある断崖も、肉眼で確認できる。火山活動によってできた島だそうで、断崖は火山灰が堆積してできた白色の凝灰岩によるもの。白亜の断崖が居並んでいる様子はどこか畏れ多さを感じさせた。

船が接岸され、タラップが設置される。観光地化されていないこともあり、団体客が降りるようなこともない。

粟国港船客待合所から、出迎えの女性がひとり出てきた。細身のジーンズに黒いTシャツというあっさりとした格好。きっとあれだ。眠人と竜征がタラップを渡ると、大きく手を振って近づいてくる。つけていたマスクをはずして顔を見せてきた。眠人もマスクをはずして手を振った。

「でーじ久しぶりやね、ふたりとも。わざわざこんな遠くまでありがとう」

「え、うわ、まじか」

竜征が驚きの声を上げる。誰なのか気づいたようだった。

「春帆さん、どうしてここにいるんすか」

「わたしここに住んで二年目なんだよ。結婚した相手が学校の先生でさ、この島に赴任したからいっしょに来たの」

「結婚？　やばい。情報量が多すぎて処理できねえぞ」

頭を抱える竜征を尻目に眠人は春帆に頭を下げた。

「いろいろとご面倒かけます」

「ねえねえ、眠人。他人行儀な挨拶はやめなよ。島はなんにもなくて刺激がないから、こういう訪れは大歓迎だよ。眠人から連絡をもらったときはびっくりしたけど」

「え、眠人は春帆さんと連絡を取り合ってたのか」

竜征が眠人と春帆の顔を交互に見る。再会のきっかけを話す。

仕事を辞める前の二月、沖縄へ三線の修業へ行くか悩み、宮里さんや上原さんにも相談したものの答えが出なかったため、春帆へ連絡を取った。彼女が沖縄に戻り、三線の先生になりたいと言っていたのを覚えていたのだ。別れる際にもらった電話番号の記されたメモ紙は、後生大事に取ってあった。

幸運なことに、春帆は十三年のあいだ携帯電話の番号を変えていなかった。連絡が取れたことを喜び合い、近況を報告し合った。三線を続けていることを伝えたら彼女は心底驚き、よほどうれしかったのか電話越しに涙ぐんでいた。

電話で相談もした。沖縄の楽器である三線を、東京生まれで東京育ちの自分が弾いても、本物に見せかけた別のものになってしまうのではないか、と。しかし電話から響いてきたのは春帆の屈託のない笑い声だった。

「心配しすぎさぁ。沖縄の民謡はそんなに器の小さいもんじゃないよ。ていうか音楽そのものがそんな器の小さいもののはずないと思うけど。それでも眠人が気にかかるなら沖縄へおいでよ。わたしは本島にいないけどね」

そこから春帆の結婚の話題となり、現在は粟国島に住んでいることを知ったのだった。なにもないけれど、だからこそいい島。あのときそう説明を受けた。

「ふたりとも背が伸びたねえ。いま何歳になった?」

春帆が笑顔で尋ねてくる。

「今年で二十三です」と眠人が答えると、横で竜征がうなずく。

「すっかり大人になっちゃって」

そう言う春帆こそ大人の落ち着きを身につけていた。もう三十歳を迎えているはずだ。でも大学生と言われても通用するくらい若々しい。

「ついておいで」

春帆が軽やかな足取りで歩き出す。彼女に連れられて歩いた小学生のころを思い出して懐かしくなる。

「ここがメーンストリート」

春帆が道の真ん中に立って両手を広げた。メーンストリートと言っても、乗用車が二台すれ違えるくらいのささやかな舗装路だ。車も走っていなければ人影もない。見渡せば本島と同じような白い家が多い。ただ、みんな庭が広く、ほとんどが鉄筋コンクリート造りの平屋だ。高い建物がぎゅうぎゅうに並んでいた那覇とはだいぶ違う。

観光協会に立ち寄り、島の地図をもらった。電動アシスト式のレンタサイクルを、眠人と竜征で一台ずつ借りる。このあと島めぐりをするなら必要だそうだ。

次に春帆が暮らす教員住宅へお邪魔した。観光協会からすぐのところにある粟国幼小中学校のそばだった。玄関先でさんぴん茶をいただく。夏を思わせる日差しで、冷たいさんぴん茶がおいしい。

今夜はここに泊めてもらう予定なので、着替えの入ったリュックサックを預かってもらった。東京から携えてきた三線ケースも渡す。就職後、貯めたお金で自分の三線は買った。春帆からもらった三線は、この機会にお返ししたいとメッセージで伝えてあった。

「長いあいだありがとうございました。三線と出会わなかったら、いまの自分はなかったです。ある意味、三線を教えてくれた春帆さんは一番の恩人ですよ」

眠人は深々と頭を下げた。

「大切に使ってくれてたんだね」

三線のケースを開けて春帆が言う。

「メンテナンスは欠かさずにやってましたから」

「どれ、眠人がどれくらい腕を上げたか聞いてやろうかな」

春帆が三線を取り出し、強引に手渡してきた。

「え、いまここで弾くんですか」

「いまだよ。それとも師匠の言うことを聞けないっての？」

腕組みをして春帆はにやりと笑った。竜征がその隣に立ち、演奏をうながすように拍手をする。ふたりの前で演奏を披露するのは久しぶりだ。さすがに緊張した。

手短に調絃を済ませ、立ったまま三線を構える。ふたりに聞かせるならこの曲だろう。原点である『てぃんさぐぬ花』だ。深く息を吸ってから歌い出す。

「てぃんさぐぬはなや　ちみさちにすみてぃ」

奏でた三線の音が、声として発した歌詞たちが、故郷に帰ってきて喜んでいるかのように、島の空気に乗ってすうっと広がっていく。気温が高いため、歌っているあいだにこめかみが汗ばむ。歌いながら見上げた空は、目を細めたくなるようなまばゆい青。沖縄という土地で歌っているこの状況に胸が震える。

「上等、上等！」

歌い終えると春帆が盛大に拍手してくれた。

「電話で沖縄民謡の教室に通ってるって言ってたもんね。たいしたもんだ。那覇のおばあの教室に先生として招きたいくらいだよ」

「それは言いすぎですよ」

謙遜しつつ三線を春帆に返すと、「島めぐりに持っていきなよ」とリュック式のソフトタイプの三線ケースに入れて持たされた。

「弾く機会があるかもしれないからさ」

春帆がウィンクしてみせる。年上ながらかわいい。どきっとしたがなにか含みを持たせてのウィンクだったと気づき、素直に三線を受け取った。

「どっちに行ったらいいですか」

眠人もまた含みを持たせて尋ねてみた。

「マハナに行きな」

春帆は西を指差した。


マハナとは島の最西端の岬である筆ん崎に広がる平地のことだ。最も端という意味合いを持つ。大きな石がところどころ転がる草地で、平地が尽きたところですとんと断崖絶壁になっている。

粟国島は西へ行けば行くほど徐々に海抜が高くなっている。マハナを目指すには、レンタサイクルの電動アシストモーターの世話にならなければならなかった。粟国島はソテツの島と言われ、そこかしこに自生するソテツを見かける。人が住んでいるのかどうかわからない寂れた家も多く、そうした家の庭は雑草が生え放題で、珊瑚石を積み上げて作られた石塀は崩れていた。

　春帆の家からマハナまでは二・五キロメートルほど。次第に人家を見かけなくなっていき、道の両脇は鬱蒼とした緑か野原ばかりに。ときおりつながれた山羊がいて驚かされる。子山羊なんてつながれてさえいなかった。放牧されている黒い牛がいて、その大きさに思わず自転車を停めた。

「春帆さんにサプライズで会わせたくて、おれを粟国島へ連れてきたってわけか」

　同じく自転車を停めた竜征が、合点が行ったというふうな笑顔を向けてきた。

「それもあるけど」と曖昧に答える。

「それも？　ほかになにがあるんだよ」

　答えるとややこしくなりそうなので、思いきりペダルを漕いでダッシュした。竜征にさきんじてマハナへ到着し、入口付近に自転車を停める。竜征が到着するのを見計らって草地へ足を踏み入れ、むんじゅると呼ばれる麦わら製の平笠を模した東屋へ入った。

　筆ん崎は海に鋭角に突き出た岬だ。それゆえ右を向いても左を向いても海となっている。建物はなにもない。風力発電用の大きな白い風車が立ち、ゆるゆると回っている。遮るものがないために、風が東屋をびゅうびゅうと吹き抜けていく。マハナの下草たちがみな同じ方向へと流されて横倒しになっていた。
「なんだよ、急にダッシュしてさ」
竜征が文句を言いながら東屋へやってきた。岬の突端方面を向いて立つ眠人の隣に並ぶ。
マハナは崖からの転落防止のために、へりの手前に低い擬木柵が設置されている。そ
の一番奥まったところに人影があった。竜征も気づいたようで視線を上げていき、ぎく
りと動きを止めた。誰なのか後ろ姿だけでもわかったのだろう。さくら子だと。
ほっそりとした体つきのさくら子が、海を向いて立っている。青くて裾の長いワンピ
ースを着ていて、その裾が風に吹かれて足に巻きついていた。
突然、竜征が踵（きびす）を返して駆け出した。
「おい」
慌てて追いかける。自転車まで戻ったところで追いつき、竜征の腕をつかんで引き止
めた。
「なんで逃げるんだよ」
「おれは会わないって言っただろう。そうか、さくら子に会わせるためにおれをこんな
離島にまで連れてきたんだな」
「さくら子に頼まれたんだよ。竜征から連絡が来たら絶対に教えてほしいって。おまえ
がなにも言わないでいなくなった八年前に頼まれたんだ」

三月の半ばに竜征から手紙が届いたとき、さくら子に電話をした。竜征と沖縄の那覇で再会することになりそうだと伝えた。当然、彼女も来たがった。

しかしさくら子は心身ともに調子を崩していて、人混みが苦手になったこと、わけもなく電車に乗るのがこわくなって何本もやり過ごしてしまうこと、店員とやり取りをしたくなくていっさいの買い物ができなくなったことなどを聞かされていた。だから観光地である那覇へなど、とてもじゃないが連れていけないと断ったのだ。

「人なんて誰もいないようなところで、竜ちゃんと再会できたらいいんだけどね」

電話の向こうのさくら子は低くつぶやいて、自嘲気味な笑い声をもらした。

その悲しいつぶやきを聞いたとき、思い出したのが春帆の暮らす粟国島だった。なにもなくて、なにもしないをしに行く島。そこへだったらさくら子も行けるのでは。竜征との再会の場所として最適なのでは。思いつきだったがさくら子に打診したところ、彼女は大いに乗り気になり、粟国島にも興味を抱いたようだった。

さくら子は粟国島へ行くために、電車をひと駅だけ乗る練習を始めた。次第に距離を延ばしていき、船に乗る練習も行い、ついには飛行機に乗って沖縄までやってきた。そして落ち着いた心持ちと整った体調で再会したいため、さくら子は一週間もさきに粟国島へやってきていた。

島での生活は春帆に世話になっている。春帆はかつてアイドルを目指していたこともあって、本物のアイドルがやってきたと大喜びしてくれた。さくら子は港の近くにあるプチホテルに宿を取っているけれど、春帆の家に泊めてもらっていることのほうが多いようだった。

「おれはさくら子をすげえ傷つけた。せっかく時間が経ったのに、そういう傷ついた記憶を掘り返す必要はねえだろ。おれはさくら子から逃げたんだ。いまさら会えねえよ」

「逃げた？」

「あの子の家に行って旬のものでもてなされたり、彼女が買ってもらった箏の値段を聞いたりしてたら、うらやましさで胸がもやもやした。だって百五十万円もする箏を買ってもらってたんだぜ。妬ましくもなるし、世の中つらいことを知らないお嬢様だって見下げる気持ちも生まれちまった。だから連絡も取らないでずるい逃げ方をしたんだ。そんなおれに会う資格なんてねえってわけだよ。わかっただろ？　おれは線を引いて逃げたんだよ」

つかんでいた手を竜征に振りほどかれた。竜征の目をじっと見つめる。彼もまたまばたきもせずに見つめ返してきた。

「竜征はあのときのままか？　線を引いて逃げることしかできなかった中学生のころのままじゃないだろ」

竜征がぎゅっと目を閉じて顔を背ける。その横顔に告げた。

「悪いけど昨日はさくら子に会わせていいか、様子見をさせてもらったよ。いやなやつになってたりしたら会わせられないからさ。でもおまえはむかしと変わらずいいやつだったよ。ていうより想像してたよりはるかに立派になってた。努力できるやつだって思ったし、志のあるやつだって感心した。スミレも褒めてたよ、憧れの教師になるために頑張っててかっこいいって。おまえを親友と思ってた子供のころの自分を、人を見る目があるやつだって誇らしく思ったくらいだよ」

「褒めすぎだよ」と竜征が苦笑いで目を開けた。「でもさくら子に会うにしても、どんな顔して会ったらいいかわからねえよ。なにを話せばいいのか、どんな言葉をかければいいのか、まったく思いつかねえ」

「それは昨日の夜にスミレが教えただろう」

居酒屋からの帰り道、宮里さんの妹さんからの電話で話しそびれていた言葉を、スミレは竜征に伝えた。夜風に吹かれながら晴れ晴れとした口調で。

「わたし、一番つらいときに眠人から言ってもらったんだよね。なにかあったら必ず逃げてくるんだよって。逃げていいんだよじゃなくて、逃げてくるんだよって。逃げたさきに抱き止めてくれる人がいる。そう思っただけですごく心強かった。だから仕事も頑張れたし、これから東京と沖縄で離れ離れになるとしても大丈夫だって思えるんだよ」

かつて竜征も春帆から告げられた言葉だ。

——逃げてくるんだよ。

線を引かず、寄り添い、抱き止める。その表明の言葉として、ずっと眠人の心の中に響いている。きっと竜征の中でも。

むんじゅるの東屋までふたりで戻った。さくら子はまだマハナの突端の柵のそばに立ち、海を眺めていた。

「さくら子、粟国島に来てからずっとマハナにいるんだってさ。東の砂浜には全然行ってないんだって」

春帆からメッセージで伝えられたことを竜征に話した。春帆は心配していた。生きている人たちが住む東へと足を運ばないことに。竜征が痛ましいというふうに眉間にしわを寄せて小さく首を振った。

「行ってやれよ」

竜征の肩を叩く。

「うん」

返事はするものの竜征は動かない。さくら子への一歩目が出ないようだ。もう一度さくら子と関わっていいのか悩んでいるのだろう。

風が東屋の中を吹き抜ける。耳元でびゅうびゅうと風が鳴る。風が強いために海のうねりが大きい。その分太陽の光を受けて海はきらきらと輝いた。竜征は数分が過ぎても険しい表情のまま固まっている。しかたがない。

三線ケースから三線を取り出した。東屋のベンチに腰かけ、適当に爪弾く。さくら子が気づくかと思ったけれど、風が強いうえに彼女まで距離があるため、三線の音が届いていないようだ。

せっかく粟国島に来たのだから、島発祥の『むんじゅる節』を弾きたいところだ。しかし残念ながらレパートリーにない。思いついた曲を順に弾いていく。まずは竜征やさくら子と中学生のときに披露した『じんじん』を、次に思い入れのある『てぃんさぐぬ花』を、それからスミレが好きだと言っていた『安里屋ユンタ』を。ゆいレールの駅のメロディー順であることに気づいて苦笑してしまう。

風が途切れた。

三線の音がさくら子に届く。

ゆるゆるとさくら子が振り向いた。

竜征を連れてくることは伝えてある。眠人はさくら子に向かって大きく手を振った。

横で竜征がつぶやく。

「ありがとうな」

決意を固めたようだ。横顔が凛々(りり)しい。

「眠人、本当に三線がうまくなったなあ」

「気づいたら十年以上やってるからな」

「三線って面白いな。いろんな音がする。七色って感じだ。虹の音色で眠人はいまさくら子への橋を架けてくれた。本当に感謝してる」

「おまえ、そういう大袈裟な言い回しをするところ、変わってないな」

「まあな」と竜征が笑う。

竜征がさくら子を見つめたまま、「あのさ」と切り出す。

「なんだよ」

「おれ、さくら子のことが好きなんだ」

十四歳のときに聞きたかった言葉だった。

「いいと思うよ」

快く返すことができた。

「ありがとう。おれ、もう逃げないよ」

竜征は軽く手を上げ、さくら子へ向かっていった。再び吹き始めた風の中を、下草を踏みしめて進んでいく。さくら子からは再会に際しての心境を聞けていない。繊細な話題なので踏みこめなかった。

どうなるのだろうと見守っていると、竜征は突端の擬木柵まで進んだ。海を眺めてから横のさくら子に向き直る。

草原と言ってもいいマハナのその奥で、海を背景に竜征とさくら子が向かい合ってい
る。大地は緑、空も海も青。絵になるふたりだ。そんなことを考えながら三線を弾いて
いたら、さくら子が右手を大きく振りかぶり、竜征の頬を張った。
驚いてベンチから腰を浮かす。しかしさくら子は勢いよく竜征に抱きついた。竜征が
さくら子の背中に手を回して抱きしめる。ふたりは抱き合ったまま動かなくなった。
これで一件落着かな。安心してベンチに腰を下ろし、途中となっていた『安里屋ユンタ』
を弾き始める。竜征はいまごろさくら子の耳元で囁いているはずだ。逃げてこい、と。
だからと言ってさくら子が即座に竜征のもとへ逃げるとは考えにくい。スミレと同じ
ように逃げる場所があるからこそ、心強く感じて前へ進んでいくのだと思う。もっと強
くもっと強くと願っていたさくら子のことだから。
「マタハーリヌ　ツィンダラ　カヌシャマヨ」
やや大きめに『安里屋ユンタ』のひと節を歌う。沖縄の歌の歌詞は難しい。理解する
ためにいろいろな人の解釈に触れたり、宮里さんに尋ねたりしてきたけれど、なかなか
これといった標準語の訳に出合わない。この『安里屋ユンタ』も以前は曖昧な理解のま
ま歌っていた。
たとえば「マタハーリヌ」ひとつを取ってみても定説がないらしく、「また会いまし
ょう」の意とする訳もあれば、意味のない囃子言葉とするものもある。「ツィンダラ

カヌシャマヨ」に関しては、「本当に愛しい人」であるとか「かわいらしい恋人」であるとか歌詞の説明に揺れがあり、気持ちを込めて歌ううえで妨げとなっている。しかも『安里屋ユンタ』が流行った当時、「ツィンダラ　カヌシャマヨ」は「死んだら神様よ」ともじって歌われたらしく、そうした逸話を知ってしまうとなおさら心から歌うことが難しくなった。

ところがこの件を愚痴交じりにスミレへ伝えてみたら、あっけらかんとした答えが返ってきた。

「ぴったしの標準語がないなら、無理して訳すことないじゃん」

「じゃあ、どうすればいいのさ」

スミレは不敵な笑みを浮かべて言った。

「マイ・ダーリンって心の中で思って歌えばいいんだよ」

不思議とぴんときた。だから『安里屋ユンタ』を演奏するときは、心の中で「マイ・ダーリン」と唱えている。そして歌えば必ずスミレの姿が浮かんだ。微笑むスミレが。はしゃぐスミレが。間違いなくスミレがマイ・ダーリンであって、なににつけても二項対立でしか考えられなかった彼女が、こうした答えを示してくれたことがうれしくてしかたがない。

竜征とさくら子をふたりきりにしてやろうと、三線をケースにしまって背負った。

あとは任せたぞ、竜征。浅倉眠人のさくら子を見守る長い旅路は今日で終わり。任務を無事に果たすことができて心底ほっとする。良い旅だったと思う。さくら子が特別な人だったから。そして竜征から頼まれた特別な任務だったから。

頑張れよ、竜征。さようなら、さくら子。

自転車に跨り、マハナを離れる。目指すは島の東端にあるウーグの浜だ。スマートフォンの地図アプリで調べたら、距離にしてだいたい四・五キロ。海抜の高い島の西側から低い東側への移動となる。多少のアップダウンはありつつもほぼ下り坂で、電動アシストの出番はなし。ペダルを漕ぐ必要もなく、開脚状態で自転車に乗って風を切った。

再び牛に会い、山羊に会い、島の中心部に戻ってくる。人とはほとんど出会わない。港の前を通り過ぎ、さらに東へ向かう。ウーグの浜の案内板を見つけ、自転車を停めて防砂林の中に続く小道を進んだ。

ぱっと視界が開け、細長いビーチが待ち受けていた。ビーチは一キロにわたって続いているそうだ。砂浜の白さにはっとする。太陽はほぼ真上。照らされた白砂はまばゆいばかりに輝き、目を細めなければならないほどだ。

海は透明度の高い遠浅となっていて、水底の何もかもが見て取れた。視線を上げていけば明るい青緑色の海が広がり、やさしく微笑んでいるかのようだ。やや強めの風が気持ちいい。

　汗ばんだTシャツを脱ぎ、ジーンズの裾をまくし上げて海に入る。日差しが強いわりに海水はひんやりとしている。砂浜には誰もいない。常駐の監視員もいない。こんな美しい場所にひとりきり。天国を貸切りにしているかのようだ。

　護岸のために設置されたコンクリートブロックに腰かけ、三線を弾いた。まさに楽園といった光景を目の前にしているのに、なぜか直彦と暮らすおんぼろアパートが頭によぎる。家から近くにある公園の光景も。

　お金がないために押しこめられるようにして暮らしていたあれらの場所から、遠く離れたここまでよくやってこられたものだ。高校生のころなんて、自分が旅行をできる身分になれるとすら考えられなかった。

「ありがとうな」

　三線の棹を撫でる。ここまで来られたのは三線に出会ったからだ。春帆に初めて会ったあの日、胸の高鳴りを信じてよかった。勇気を出して教えてほしいと頼んでよかった。そして長いあいだ弾き続けてきてよかった。

　音を奏で、歌ってきたからこそ、乗り越えられたものがたくさんある。世界はどんどん分断されていく。線が引かれ、対立していく。みんな自らが引いた線で雁字搦めとなり、苦しんでいる。

眠人も線を引かれた。貧しいというだけで同年代から異質の存在と見なされた。携帯電話を持っていないために、ゲーム機を持っていないために、カラオケやファストフードへいっしょに行けないために、ファッションに疎いために、大学に進学する余裕がないために、線の向こうへと追いやられた。もちろんやさしい人もいて、そうした人は困惑を見せつつもそっと遠ざかっていった。結局、みんな離れていった。

でも三線に夢中だったから孤独や寂しさに背を向けていられた。闇に取りこまれずにいられた。なにより沖縄の音楽に救われた。陽気な歌は底抜けに明るく歌い、切ない歌は情感たっぷりに歌う。全身全霊で歌ううちに、やりどころのない思いは消えていったのだ。

せえの、で演奏を始める。三線の担当は眠人と春帆だ。太鼓は竜征と春帆の結婚相手である比嘉(ひが)さんが叩いた。十四時発のフェリーで帰る前に、いっしょに演奏しようと春帆が提案してきたのだ。

比嘉さんは教師なので、やはり教師を目指している竜征は相談したりアドバイスをもらったりし、一夜にして仲良くなっていた。

全員での演奏には部屋は狭すぎるからと、教員住宅の外に出た。駐車場での演奏だ。今日も見事な晴天で、アスファルトにできた影が濃い。眠人を始めとする歌うメンバーは、バンダナを鼻から下へかけるようにして巻いた。盗賊のようであやしいけれどミュージシャンっぽさは出た。

観客はふたりでスミレとさくら子が並んでいる。昨夜、スミレに竜征とさくら子の再会がうまくいったと電話で伝えたら、粟国島を訪れてみたいと言い出した。

眠人も竜征もさくら子も十四時発のフェリーで沖縄本島に戻る。スミレが本島から粟国島にフェリーで渡ってきた場合、到着は昼の十二時。いっしょに帰るなら滞在時間は十四時までの二時間となってしまう。それでもいいのかと確認したところ、かまわないということでやってきた。同じ空の下、同じ空気を吸ってみたいメンバーが集まっているから、だそうだ。

スミレの到着後、春帆が作ってくれたそうめんチャンプルーを大急ぎで食べた。そうめんチャンプルーは眠人もめんそーれ酒場でまかないとしてさんざんいただいた。湯がいたそうめんを炒(いた)めて作る沖縄の代表的な料理のひとつで、チャンプルーには混ぜ合わすという意味がある。

春帆が作ってくれたそうめんチャンプルーは卵、キャベツ、人参、ツナ、魚肉ソーセージと、冷蔵庫にたいてい入っていそうなものばかりで作られているのに、味も彩りも絶品で驚いた。添えられたシークヮーサーもいい。

「うわ、すげえうめえな」

竜征が口いっぱいに頰張って食べる。

「これはやみつきになるね」

眠人も負けずに口へ掻きこんだ。

「育ち盛りの中学生か」

隣に座っていたスミレに突っこみをもらった。さくら子が口を押さえておかしそうに笑う。笑いのツボが浅いところは変わっていないらしい。

小学生のとき、春帆が暮らしていた家へお邪魔して昼食をご馳走してもらった。お金がなくて食べるものを買えず、気持ち悪くなるくらいの空腹で苦しんでいたあのころ、春帆が作ってくれる料理は最高においしかった。春帆の料理で生かしてもらっていた。

「おかわり」

盛ってもらった分をたいらげた竜征が元気に言う。

「もっと味わって食えよ」

眠人が笑いながらたしなめると、「おまえが言うかよ」と竜征がなにもなくなった眠人の平皿を指差して笑った。言い返そうとしたら、視線が交わった瞬間に竜征が懐かしげに目を細める。きっとあいつも思い出していたのだろう。小学生のころのことを。

駐車場での演奏の一曲目として『じんじん』を選んだ。竜征も中学生のときの演奏を覚えているようで、太鼓を楽しげに叩く。うれしかったのはさくら子が歌ってくれたことだ。手を叩いてリズムを取り、体を揺らしながら歌った。

　さくら子の歌はうまくなっていた。舞台でのお芝居を経験したり、ボイストレーニングをしたりしているせいか、張りのある歌声となっていた。そのきれいな声で高らかに歌う。人に注目されることが苦手だった少女がここまで強くなった。かつての姿を知っている分、なんだか泣きそうになる。

　昨夜、竜征はさくら子が泊まっているプチホテルへ行き、満天の星空のもとを歩きながらたくさんの話をしたそうだ。春帆の家に帰ってきたのは深夜零時を回ってから。それでも話し足りなかったのか、朝の六時に出かけていき、ウーグの浜でさくら子と落ち合ってまた話をしたという。

　二曲目は『月ぬ美しゃ』を選んだ。眠人が三線で伴奏し、春帆が歌う。『月ぬ美しゃ』は八重山地方発祥の子守唄だ。ゆったりとした眠気を誘う曲調で、静けさをまとった印象がある。

　一番の歌詞の内容は「月が美しいのは十三夜、乙女が美しいのは十七歳」といったもの。十五夜の満月ではなく、欠けた未完成の十三夜の月を美しいと愛(め)でる考え方が好きだ。そして十七歳の春帆を、さくら子を、スミレを見て知っている。みんな美しかった。思い返せばみんな未完成から完成へと足掻いている年齢で、だからこそ美しく、愛おしく感じるのかもしれない。

この『月ぬ美しゃ』は歌唱のなかに八重山独特の発音があり、工工四でも表しきれず、眠人には難しい。だから春帆に歌ってもらいたかったのだ。春帆は澄んだ声でやさしく歌う。初めて都立公園で彼女に出会ったあの日がよみがえる。

まだ高校生だった春帆の歌を東屋で聞き、一瞬で魅了された。あの日が最初だった。当時は小学生だったからうまく言語化できなかったけれど、心が惹きつけられた要因として郷愁があると、年齢を重ねるごとに考えるようになった。

あのころの自分には帰る場所がなかった。悲しいときや苦しいときに泣いて抱きつきに行く母の存在もすでになかった。現在も暮らすおんぼろアパートを、幼かった自分にやさしくなかったあの街を、いまだに故郷として愛着を覚えることがない。

そうした自分にとって春帆の歌は、郷愁への憧れを巻き起こすものだった。三線の音色と、沖縄独特の歌い方と、琉球音階による曲調とが、欠落していた帰るべき場所を想起させて、惹かれてしまったのだ。

沖縄の歌たちからは、沖縄という風土への愛を感じる。ときに楽しく、ときにやさしく、よいところだと歌っている。それが聞く者によっては、故郷になってくれそうに思えるのだ。

最後の三曲目は『唐船ドーイ』を選んだ。琉球民謡で代表的なテンポの速い曲で、エイサーの最後に踊られる定番の歌だ。歌詞からは、琉球王朝時代に中国から交易船が那覇の港にやってくると、大騒ぎして見に行ったことが窺える。

眠人と春帆が三線を弾き、比嘉さんがカチャーシーを踊る。竜征が見よう見まねで踊り出したので、比嘉さんが踊り方をレクチャーした。男性は両腕を上げてこぶしを握り、力強く踊る。踊りは自由度が高く、正しいも正しくないもない。楽しく踊ればいい。楽しくなったら踊ればいい。

笑顔で手拍子を送っていたスミレとさくら子に、今度は春帆が三線を置いて踊りのレクチャーをする。女性はこぶしを握らずに、指を伸ばして優雅に踊る。

「ハイヤ　センスル　ユイヤナ　イヤッサッサッサッサ」

比嘉さんが囃子を高らかに歌う。すると指笛が聞こえた。教員住宅の別の棟の窓から、年配の男性が指笛を吹いていた。

「先生もごいっしょに」と比嘉さんが声をかけると、男性が出てきて輪に加わった。同僚の教師のようで踊り方が堂に入っている。腰の据わりがいい。

比嘉さんは通りかかった高齢の女性にも、「お姉さんもぜひ」と声をかけた。沖縄では高齢の方へでも親しみを込めて姉さんと呼ぶ。

呼ばれた女性は畑仕事から戻ってきたところなのか、軍手をつけてつばの広い麦藁帽子をかぶっている。マスクをつけていてもわかる微笑みを浮かべ、するすると近づいてくるとこなれた感じで踊ってみせた。踊りに若い人のような艶やかさはない。でも体を動かせる限りで楽しんでいるといったふうで、踊りが体に染みついているのが見て取れていい。楽しくなったら踊る。それはやはり素敵なことだと思った。

「なにやってるの、先生」

中学生くらいの女の子が比嘉さんのもとへやってくる。教え子のようでこれまたひとり踊り手が増えた。

「テンポアップするよ！」

春帆が宣言し、笑顔で眠人を見た。うなずいて春帆についていく。

三線のテンポが上がったことで踊りに高揚感が増す。竜征なんて「わはは」と笑い声を上げながら踊っている。スミレはコツをつかんだのか、様になっていた。普段から保育園で子供たちと踊っているからのみこみが早いのだろう。さくら子は遠慮がちながらもその踊りは美しかった。様々な振りつけを踊ってきた経験があるからに違いない。掲げる両手の高さや角度も、ひらひらとした手の動きも、人の目を惹きつけるものがあって、さすがとしか言いようがなかった。

空が青い。

三線を弾きながら、胸がいっぱいになって空を仰いだ。三線の七色の音が空を渡っていく。虹の音色だ。

小学生のとき唯一の友達だった竜征、初めて好きになった人であるさくら子、世界中で誰よりも大切なスミレ、三線との出会いをくれた春帆。

出会いがひとつでも欠けていたら、いまの浅倉眠人はいなかった。いい出会いの風に恵まれていた。そしていまの自分を作ってくれた人たちが、沖縄の地で一堂に会している。チャンプルーされ、楽しんでいる。なんて奇跡的な一日なんだろう。

竜征も、さくら子も、スミレも、春帆も、眠人と同じく独りぼっちの真っ暗な夜を経験してきた。明日が一番遠いと思えるような夜を過ごしてきた人たちだ。

あの独りぼっちの夜をなくすことができたらなあ。

人と人のあいだには線が引かれ、世界は分断され続けていく。切り離されてたどり着くあの独りぼっちの真っ暗な夜をなくしたい。自分の三線であの夜に届く虹をかけたい。

そのためにも本物になりたいな。よい音を奏でられる本物になりたい。決心が固まった。まずは三年、沖縄に住もう。どっぷり浸かってみるのだ。

駐車場の入口にぽつんと男の子が立っていた。三線を弾きながら窺っていると、比嘉さんが教えてくれた。

「あの少年、四月に転校してきたばっかりの三年生さ。親がこの島で事業を始めるから横浜から引っ越してきて、沖縄にまだ馴染めてないわけさ」

少年は半袖半ズボンという出で立ちで、視線が合いそうになるとうつむいた。興味があるのに近づいてこられない。そんなふうに見えた。春帆と出会ったころの自分を思い出す。自分より年齢が上のすべての人が苦手だったころ。

眠人から少年に近づいていき、手招きをした。

「おいでよ。いっしょに踊ってみない？」

「でもぼく沖縄の人じゃないから」

「おれもそうだよ」

「沖縄の楽器を弾いてるのに？」

「これは三線。弾いてるけど東京生まれ東京育ちだよ。沖縄だって昨日初めて来たんだ」

「ほんとに？」

「弾いてみたかったら教えてあげる」

少年の瞳に喜びの色が浮かぶ。

「おいで」

手を引いて踊りの輪に向かった。ゆるやかな心地よい風が吹いている。どこからでも海が見える島独特の、かすかな潮の香りと湿り。スミレとさくら子が少年を笑顔で迎えてくれた。

その様子を見ながら思う。自分もまた出会いの風になれただろうか。

解　説

矢野　隆

関口尚という作家はやさしい。それが、氏に対する私のもっとも端的な印象である。同じ小説すばる新人賞出身で、年もキャリアも関口氏の方が上。私にとっては先輩である。そういう関係上、コロナ禍で会食が禁じられるまでは、同賞のパーティーで毎年のように顔を合わせていた。関口氏は決して先輩風を吹かすことなどなく、つねに笑顔。やさしい言葉をやわらかな口調で投げかけてくれる。相手の立場にたって発言し、大勢の作家が集うなかでもけっして出しゃばらない。九州の片田舎で生まれ育った私の、酔っぱらった末の不調法極まりない放言にすら、真摯な言葉でにこやかに相対してくれる。慣れない東京で、大勢の作家のなかに放り込まれて神経を尖らせている私にとって、関口氏のやさしさは数少ない癒しのひとつであった。

今作『虹の音色が聞こえたら』には、そんな氏のやさしさが溢れている。

この作品は、主人公、浅倉眠人が小学五年生から二十三歳になるまでの物語である。男の子の十一歳から二十三歳といえば、子供から大人へと成長する一番変化のはげしい時期だ。思春期まっただなかである。

私自身のことを思い出してみると、大人という漠然とした存在をただただ嫌悪していたことが一番心に残っている。親や先生、バイトの先輩にいたるまで、自分よりも年上の大人たちの言うことがいちいち癪に障る。相手が正論を言ってようが屁理屈をこねていようが関係ない。訳知り顔で語っている姿が気に喰わないのである。

「お前に俺のなにがわかる?」

心のなかでずっと叫んでいたし、時には言葉にして吐き出し、嚙みついた。

私にとって思春期とは、ただただ憎しみと怒りに塗れた時代であった。

本作の主人公である浅倉眠人も、やはり大人や社会に怒りや失望、憎しみを抱いて生きている。しかし、私のようにどす黒い怨嗟の情に囚われてはいない、じつに気持ちの良い青年なのである。

母親を早くに亡くし、それが原因で父親は仕事をサボりがちになってパチンコばかりしている。家にいるときは酔っぱらって眠人のことを見ようともしない。母親がいなくなってから、肉親の情を与えてもらっていた祖母が死んでからは、狭いアパートでのろくでもない父親との暮らしが、眠人の生きる場所となった。貧乏でゲーム機も携帯電話も与えられず、クラスメイトたちからのけものにされ、図書室で本を借りることだけが唯一の楽しみであるのに、からかわれるから人目を忍んでしか行けない。

外の世界に眠人の居場所はないのだ。しかし、彼の良いところは、そんな状況であってもぜったいに絶望しないところである。自分は這い上がれないのではないのか？　という漠然とした不安を抱きながらも、自分の境遇をしっかりと見据え、決して逃げようとしない。それだけでも大したものなのだが、自分がいなくなったら父はどうなるのか？　と、ろくでもない父親を想うやさしさすら備えているのだ。

そういう人間を、神様は絶対に見捨てない。外の世界に居場所がなく、家に帰れば父親との息の詰まる暮らしが待っている眠人は、帰宅するのが嫌で公園で時間を潰す。しかし、その公園の東屋で、彼は運命的な出会いを果たすのだ。

夢をかなえるために沖縄から上京してきたという女子高生、春帆と、彼女が奏でる三線の音色に、眠人は心を奪われる。大人に失望し、年上と接することが苦手な眠人は、意を決して春帆に声をかける。

「ぼ、ぼ、ぼくに三線を教えてくれませんか」

このひと言が、眠人が闇から抜け出す一歩となる。

この作品には、眠人だけではなく、心の闇とむきあう少年少女が登場する。各々がべつべつの境遇のなか、大人たち、時にはみずからをも嫌悪しながら、それでも前に進みたいともがいている。作中、彼等の人生の起点となるのが〝出会いの風〟だ。

眠人が成長してゆくなかで、幾度も出会いの風が吹く。その度に彼は、人との出会いがみずからの人生に大きな影響を与えていることを意識してゆく。人との出会いが、みずからを変え、運命を変える。狭いアパートの暗闇のなかで父親と二人きり。そんな世界から抜け出すための鍵を、眠人は出会いのなかに見出してゆくのだ。

この眠人と出会う人々に、私は関口氏のやさしさを感じるのである。

一番身近にいる親友の竜征。彼もまた両親に恵まれず、大人に失望している。それでも生来の明るさで闇を撥ねのけようとする兄貴肌の竜征は、内気な性格で陰に籠ろうとする眠人にとってはかけがえのない友だ。

そしてそんな二人にそっと寄り添う、中学時代からの女友達、さくら子。彼女の健やかさと、内気な自分を変えようとする力強さが、眠人を勇気づける。

眠人に吹く出会いの風は、春帆やこの二人だけではない。多くの出会いの風が、眠人の背中を押して、闇に沈むアパートの一室から羽ばたかせてゆくのだ。

眠人が出会う人々は皆、どこかで己の闇と戦っている。みずからの裡に潜む闇と必死に戦いながらも、眠人へむける眼差しはいずれもやさしい。戦友であるといわんばかりに、誰もが無償の好意を投げかけてくれる。

私にはそれが、眠人への関口氏のエールに思えてならない。

作中、ある人物に、氏はこう語らせている。

「闇に触れずに大人になるのって無理なのかもね」

同感である。どんな人間でも闇に沈むことがある。屈折や挫折を味わうことのない人生など有り得ないのだ。誰もが闇と戦っている。そしてその闇を振り払うことができるのは、自分自身の力以外に有り得ないのだ。

抜け出すための鍵が〝出会いの風〟なのである。眠人というみずからの境遇に真摯にむきあう少年に、関口氏は出会いの風を吹かせ、人の縁を結ばせ、前に進む力を与えた。そして眠人も、そんな作者の期待に応えてゆく。

この作品にはもうひとつ、氏が眠人に与えた闇から抜け出すための忘れてはならない鍵がある。

三線だ。

沖縄や奄美の民謡に使用される楽器であり、その音色は誰でも一度は聞いたことがあるだろう。沖縄に行かずとも、BEGINや夏川りみ、最近では某テレビコマーシャルで浦島太郎が奏でていたのを覚えている人も多いと思う。

前にも書いたが、三線を奏でる春帆との出会いによって、眠人はみずからの奥底に〝三線〟という太い芯を得る。三線の音色とともに春帆が謡う沖縄の民謡の数々が、眠人の心を魅了し、父親や大人たちに対する闇から目を遠ざけてゆく。そしてみずからも三線と琉球民謡へとどっぷりとハマってゆく。

眠人が魅かれる音楽が、琉球民謡であるところに大きな意味があると私は思う。

人の心を謡う民謡に用いる似たような楽器として、津軽三味線がある。私の独断と偏見であることを承知のうえで書かせていただくのだが、いずれも人の苦楽に寄り添い、魂を揺り動かす音楽である。しかし、情緒という点において、東北の民謡と琉球民謡は真逆の相を有していると思う。

津軽三味線によって奏でられる音曲として謳われる民謡は、北の厳寒に耐える厳しくも力強いものである。三味線の音色は、私には北の醬油の辛さを思わせるのだ。塩辛さとほろ苦さを持った北の民謡は、辛苦に耐える、収斂の歌に思える。

いっぽう、三線が奏でる琉球音楽は、南国の暖かさを感じさせる大らかな響きを持っている。三味線が北の醬油のほろ苦さならば、三線の音色は黒糖の甘さを感じさせる南の醬油を思わせるのだ。悲恋の歌であってもどこか解放的で、寄り添うというよりも他者との心の共有を願うような響きを持つ。琉球民謡は放出の歌であろうと思う。

狭いアパートの一室でろくでなしの父親の背中に押し潰されそうになっている眠人にとって、果たしてどちらの音曲が必要であろうか？

津軽民謡が心の支えになり、多くの方が日々を戦っていることはわかっている。わかっている上で、目の前の闇に飲み込まれようとしている小学五年生の少年にとって、必要なのはいずれであるかと私は問いたい。

燦々と照りつける南国の陽光と青い空。沖にむかってエメラルドグリーンから蒼、蒼